Les clés du LANGAGE

Les clés du LANGAGE

Nature, Origine, Apprentissage

Sous la direction de
Jean-François Dortier et Nicolas Journet

La Petite Bibliothèque de Sciences Humaines
Une collection dirigée par Véronique Bedin

Maquette couverture et intérieur : Isabelle Mouton.

Diffusion : Seuil
Distribution : Volumen

38, rue Rantheaume
BP 256, 89004 Auxerre Cedex
Tél. : 03 86 72 07 00/Fax : 03 86 52 53 26
ISBN = 978-2-36106-292-7

Avant-Propos

LES CLÉS DU LANGAGE

Il fut un temps, celui des années 1960, où la linguistique faisait figure de science pilote au sein des sciences humaines : on pensait alors, en décryptant le langage, trouver les clés de la pensée et même des structures sociales. Puis la discipline a perdu son aura et a été absorbée dans les sciences du langage, qui elles-mêmes ont été vampirisées par les sciences cognitives. La linguistique semblait ne plus être qu'un sous-continent, technique et obscur, des sciences de l'homme. Mais voilà que depuis quelque temps renaissent des théories et des champs de recherches qui renouvellent en profondeur le domaine. L'étude du langage a même connu récemment une révolution, mais une révolution souterraine et presque invisible.

Tout d'abord, dans les années 1990, les linguistiques cognitives ont inversé le rapport entre le langage et la pensée, et la pragmatique y a réintroduit les enjeux implicites de la communication. Puis des méthodes et des regards nouveaux sont venus ouvrir de nouvelles fenêtres sur le langage : l'imagerie cérébrale, le traitement informatisé de corpus de données, l'étude des troubles et dysfonctionnements, l'étude de la communication précoce chez les nourrissons, la néologie (étude des mots nouveaux), l'étude des langues rares et en voie de disparition, ou encore l'essor des études sur les origines du langage.

Cet ouvrage tente de rendre compte de la vitalité de ces recherches. En interrogeant des spécialistes qui ont dû se plier au difficile exercice de répondre le plus clairement et simplement possible à une question clé sur la nature du langage, capacité si ordinaire aux humains, si simple à utiliser et si mystérieuse à comprendre.

Panorama historique des théories linguistiques

L'Antiquité

On peut dire que les inventeurs du langage et de l'écriture sont les premiers « techniciens » du langage. La linguistique, au sens de réflexion sur le langage, date de l'Antiquité avec la naissance de la rhétorique (voir *La Rhétorique* d'Aristote) et de la grammaire (Denys le Thrace au IIe siècle av. J.-C. écrivit la première grammaire occidentale).

La Renaissance et l'époque moderne

Cette période vit l'essor considérable de la grammaire. La *Grammaire générale et raisonnée de Port Royal* (1660) en est l'exemple même; son influence sera considérable car elle traite du langage en général et postule l'exixtence d'une grammaire universelle.

C'est l'époque où l'on fixe les canons de la langue écrite de nombreux pays, où l'on réfléchit aux liens entre grammaire et logique.

Le XIXe siècle : la philologie et l'analyse comparée des langues

À la fin du XVIIIe siècle, se développent en Allemagne la philologie et la grammaire comparée qui étudient les langues dans une optique évolutionniste de l'époque. Il s'agit, d'une part, de reconstituer, par la comparaison des termes et des grammaires des différentes langues, leur parenté et leur histoire évolutive. C'est ainsi qu'a été formulée l'hypothèse d'une langue souche dite indo-européenne, matrice du latin, du grec, du slave, du sanskrit. L'objet de cette étude comparée des langues était aussi de retrouver des lois de permutation des signes qui ont gouverné le passage d'une langue à l'autre (la loi de Grimm). Le Danois R. K. Rask (1787-1832) et l'Allemand F. Bopp (1791-1867) furent les pères de la philologie.

Début du XXe siècle : la révolution saussurienne

F. de Saussure (1857-1913) est le père de la linguistique moderne. Il rompt avec une approche descriptive et historique des langues pour rechercher les règles formelles de son fonctionnement. C'est un point de vue « structural » où la langue est étudiée comme un tout ayant une cohérence propre à un moment donné (approche synchronique). Un signe possède une double face: un signifiant qui est le support matériel du signe (son ou graphisme) et un signifié qui correspond à l'idée contenue dans le signe.

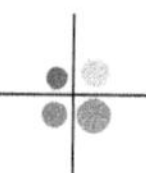

Les années 1930-1950 : fonctionnalisme et structuralisme

Dans le sillon du structuralisme de F. de Saussure se sont affirmés plusieurs courants :

– la glossématique, théorie élaborée par le Danois L. Hjelmslev (1899-1965) qui forma le projet de constituer une « algèbre immanente des langues ». C'est une démarche résolument théorique et formaliste, au demeurant fort difficile d'accès ;

– la phonologie (étude de la langue comme système fonctionnel) est issue du Cercle de Prague, dont R. Jakobson (1896-1982) et N. Troubetskoï (1890-1938) sont les principaux représentants ;

– le distributionnalisme de L. Bloomfield (1887-1949) est une tentative, d'inspiration behavioriste, pour expliquer les faits de langage à partir du calcul mathématique de la fréquence d'apparition des mots.

Les années 1960-1970

Les grammaires génératives

Cette époque vit dominer les grammaires transformationnelle et générative. Leur but est de reconstituer une grammaire universelle du langage humain qui permettrait, à partir d'une structure profonde, de générer l'ensemble des discours particuliers. Ce projet de grammaires formelles a en partie échoué même si son programme de recherche n'est pas épuisé du fait même des enjeux des sciences cognitives. N. Chomsky (né en 1928) est la figure de proue de la grammaire générative. À partir des années 1980 se développent de nouvelles grammaires, dites « grammaires d'unification », dont l'objectif est d'unifier syntaxe et sémantique. Les modèles formels des grammaires d'unification sont explicitement forgés dans le cadre de la traduction automatique.

Sémantique et sémiologie

Comment la langue véhicule-t-elle de la signification ? Comment le sens, matériau impalpable indispensable à l'homme, se construit-il à l'échelle du mot, de la phrase ou du discours ? Ce sont les questions auxquelles tente de répondre la sémantique. La sémantique, à l'origine était essentiellement lexicale (à l'échelle du mot), a peu à peu pris en charge le contexte syntagmatique (la phrase, le discours), puis, plus récemment, le contexte extralinguistique (la situation, les gestes, les mimiques), intégrant la dimension pragmatique de la communication. Dans la seconde moitié du XXe siècle, elle a connu de multiples développements, historique, structural, génératif et cognitif.

La sémiologie, ou sémiotique, est la science générale des signes. Elle s'intéresse à toutes les formes de discours, quel que soit leur mode de manifestation : dessin, geste, film, texte, vêtement… La réflexion sur cet objet est très ancienne : saint Augustin (354-430) proposa une classification des signes selon leur source, leur nature, leur degré d'intentionnalité…

Le terme « sémiotique » lui-même (du grec *semeion*, « signe ») apparaît pour la première fois au XVIIe siècle, sous la plume du philosophe anglais J. Locke (*Essai sur l'entendement humain*, 1690). Mais c'est au tout début du XXe siècle que se constitue le projet d'une discipline consacrée à l'étude des signes. Deux courants émergent parallèlement : d'un côté, la sémiologie européenne dans le sillage des études saussuriennes, et de l'autre la sémiotique américaine, avec C. S. Peirce (1839-1914) qui distingua trois types de signes : l'indice, l'icône et le symbole. À partir des années 1960, la sémiotique s'est constituée en une pluralité de spécialités définies par leur objet et par les méthodes qu'elles mettent en œuvre. S'affranchissant de la tutelle de la linguistique, la sémiotique visuelle s'est développée en s'appliquant à des objets qui n'avaient pas été conçus dans l'intention de communiquer comme un paysage, une architecture ou une posture du corps. Les figures de la sémiotique sont alors R. Barthes (1915-1980), A.J. Greimas (1917-1992), E. Panofsky (1892-1968), U. Eco (1932-).

La sociolinguistique

La sociolinguistique, discipline née aux États-Unis dans les années 1960, et dont le chef de file est W. Labov, se propose d'étudier les différences linguistiques selon les groupes sociaux (*Sociolinguistique*, Minuit, 1976). W. Labov a réalisé des études sur la stratification sociale de l'anglais à New York. Selon lui, les différences d'usage de l'anglais selon les milieux ne sauraient être de simples épiphénomènes ou déformations. Les variations étudiées étant systématiques au sein d'une communauté et cohérentes entre elles, chaque système possède sa propre logique. On parle parfois à son propos de linguistique variationniste.

Le tournant des années 1980

La pragmatique

C'est une discipline qui envisage le langage en tant qu'outil pour agir sur le monde et non pas seulement comme un outil pour exprimer des pensées ou pour transmettre des informations. Le philosophe anglais J. Austin (1911-1960) est la principale figure de la pragmatique. Austin parle d'« actes de langage » pour désigner des énoncés en tant qu'ils permettent d'agir sur soi, sur les autres, sur les événements (*Quand dire, c'est faire*, trad. fr. Seuil, 1970). Le courant pragmatique s'est développé dans deux directions : l'analyse de l'argumentation et celle des présupposés et des implicites du discours qui permettent d'en reconstruire le sens.

La linguistique de l'énonciation

Le propre des linguistiques de l'énonciation est d'étudier la façon dont les gens parlent en situation réelle. M. Bakhtine (1895-1975) en est l'un des pionniers. Selon sa conception dialogique du langage, le langage est avant tout le produit du dialogue et les mots sont eux-mêmes traversés de sens divers qui leur sont attribués par l'interaction verbale.

Le linguiste français É. Benveniste (1902-1976) est l'autre pionnier des linguistiques énonciatives. Pour lui, la présence du sujet qui donne sens à un discours, ne peut être écartée au profit de la structure abstraite, des approches fonctionnalistes et structuralistes. La linguistique de l'énonciation a connu une impulsion décisive en France, avec d'A. Culioli, auteur d'une « théorie des opérations énonciatives » ; selon ce dernier, la construction du sens repose sur trois opérations principales : la représentation (une notion renvoie à une représentation mentale), la référentiation (une notion renvoie à des objets extérieurs), la régulation (la construction d'une notion suppose un ajustement entre énonciateurs).

Ces linguistiques s'alimentent d'une multitude d'approches où s'entrecroisent l'ethnographie de la conversation (D. Hymes, J. Gumperz), l'ethnométhodologie (H. Garfinkel, puis H. Sacks et E. Schegloff), la sociolinguistique (W. Labov), l'anthropologie de la communication (E. Goffman), les nouvelles théories de l'argumentation (C. Perelman, O. Ducrot), la linguistique pragmatique (J. Austin) et les approches proprement linguistiques des interactions verbales (C. Kerbrat-Orecchionni).

Les linguistiques cognitives

Les développements récents des « linguistiques cognitives » renouvellent radicalement le vieux débat des liens entre pensée et langage. À l'encontre de presque toute la linguistique du XXe siècle les nouvelles linguistiques cognitives affirment que le langage est sous la dépendance de la pensée. En d'autres termes, on ne peut comprendre les sens des mots (sémantique) ou l'organisation de la phrase (syntaxe) qu'en les rapportant à des schémas mentaux sous-jacents. Ce n'est pas le langage qui structure la pensée, c'est la pensée qui façonne le langage.

Cette nouvelle approche du langage s'est déployée parallèlement en Europe (G. Guillaume, A. Culioli, groupe Mu) et aux États-Unis (G. Lakoff, R. Langacker, R. Jackendoff, L. Talmy). Au-delà de la variété de ces courants, les linguistiques cognitives partagent un principe commun : les éléments constitutifs du langage – la grammaire et le lexique – sont dépendants de schèmes cognitifs plus profonds.

Jean-François Dortier

NATURE ET ORIGINE DU LANGAGE

- La pensée est-elle contenue dans le langage ? (Jean-François Dortier)
- Les origines du langage (Jacques François)
- Comment le langage est-il venu ? (rencontre avec J.-M. Hombert et G. Lenclud)
- Existe-t-il des universaux du langage ? (Jacques François)
- L'hypothèse Sapir-Whorf (encadré)
- Noam Chomsky, à la recherche de la grammaire universelle (encadré)
- Y a-t-il un centre du langage ? (Charlotte Jacquemot)
- Ce que nous apprennent les troubles du langage (Halima Sahraoui)
- Les neurones du langage. Trois questions à Stanislas Dehaene
- Les mots, les choses… et nous (Vincent Nyckees)
- D'où vient le sens des mots ? (Georges Kleiber)
- À quoi servent les métaphores ? (Dominique Legallois)
- L'analogie au cœur de la pensée Trois questions à D. Hofstadter et E. Sander

LA PENSÉE EST-ELLE CONTENUE DANS LE LANGAGE ?

« Me promenant en ville, l'autre jour, j'ai entendu tout à coup un miaulement plaintif au-dessus de moi. J'ai levé les yeux. Sur le bord du toit se trouvait un petit chat. » Il suffit de lire (ou d'écouter) ce début d'histoire, pour « voir » aussitôt la scène : le toit, le petit chat, le promeneur qui le regarde.

À quoi ressemble ce chat ? Peu importe qu'il soit blanc ou noir, le mot renvoie à ce que tout le monde connaît : un animal à quatre pattes, une queue, des oreilles pointues, des yeux ronds, qui miaule (et parfois ronronne).

Mais sans l'existence d'un mot général qui désigne tous les types de chat – roux, noirs, blancs, tigrés, assis ou debout, gros ou maigrelets… –, aurait-on une idée générale de l'espèce « chat » ? Notre monde mental ne serait-il pas dispersé en une myriade d'impressions, de situations, d'objets tous différents ? Deux conceptions s'opposent à ce propos.

Au début était le verbe

La plupart des philosophes, psychologues et linguistes, au début du XXe siècle, partagent l'idée selon laquelle le langage étant le propre de l'homme, c'est lui qui donne accès à la pensée. Sans langage, il n'y aurait pas de pensée construite : nous vivrions dans un monde chaotique et brouillé, fait d'impressions, de sensations, d'images fugitives.

C'est ce que pensait Ferdinand de Saussure, le père de la linguistique contemporaine, qui affirmait dans son *Cours de linguistique générale* (1916) : « Philosophes et linguistes se sont toujours accordés à reconnaître que sans le secours des signes nous serions incapables de distinguer deux idées d'une façon claire et constante. Prise en elle-même, la pensée est comme une nébuleuse où rien n'est nécessairement délimité. » Et il ajoutait : « Il n'y a pas d'idées préétablies, et rien n'est distinct avant l'apparition de la langue. »

Vers la même époque, le philosophe du langage Lugwig Wittgenstein était parvenu à une conclusion voisine : « Les limites de mon langage signifient les limites de mon monde », écrit-il dans le *Tractactus* (1921). Un peu plus tard, dans *Pensée et Langage* (1933), le psychologue russe Lev S. Vytgotski le dira à sa manière : « La pensée n'est pas seulement exprimée par les mots : elle vient à l'existence à travers les mots. »

Si le langage produit la pensée, cette théorie a de nombreuses conséquences. D'abord, elle confère à la linguistique une place centrale dans la connaissance du psychisme humain. Décrypter les lois du langage revient à décrypter les lois de la pensée. Sans le mot « chat », on ne percevrait que des cas particuliers : des chats roux, blancs ou tigrés, sans jamais comprendre qu'ils appartiennent à une même catégorie générale. Le langage donne accès à cette abstraction, déverrouille la pensée.

Les idées précèdent les mots

Est-on vraiment sûr cependant que, sans l'existence du mot « chat », notre pensée serait à ce point diffuse et inconsistante, que privé du mot, l'on ne pourrait pas distinguer un chat d'un chien ? Les recherches en psychologie cognitive, menées depuis les années 1980, ont démontré que les nourrissons disposent, bien avant l'apparition du langage, d'une vision du monde plus ordonnée qu'on le croyait jusque-là.

Ces recherches ont donné du poids aux linguistiques cognitives, apparues dans les années 1970, qui ont introduit une véritable révolution copernicienne dans la façon d'envisager les relations entre langage et pensée. Les linguistiques cognitives soutiennent en effet que les éléments constitutifs du langage – la grammaire et le lexique – dépendent de schémas mentaux préexistants. Dans cette perspective, ce n'est pas le langage qui structure la pensée, mais la pensée qui façonne le langage. L'idée du chat précède le mot. Les conséquences de cette approche allaient être fondamentales. Tout d'abord la linguistique perdait

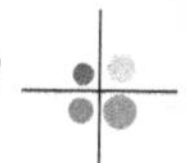

son rôle central pour comprendre le psychisme humain. Et la psychologie cognitive, qui se propose de comprendre les états mentaux, devait prendre sa place.

Ainsi pour comprendre le sens du mot « chat », il faut d'abord comprendre le contenu de la pensée auquel le mot réfère. Pour la psychologue Eleanor Rosch (une référence essentielle pour les linguistiques cognitives), l'idée de « chat » se présente sous la forme d'une image mentale typique appelée « prototype », correspondant à un modèle mental courant: l'animal au poil soyeux, yeux ronds, moustache, qui miaule, etc. La représentation visuelle tient une place centrale dans ce modèle mental: ce sont d'ailleurs dans les livres d'images que les enfants découvrent aujourd'hui ce qu'est une vache, un cochon ou un dinosaure.

Georges Lakoff, élève dissident de Noam Chomsky et tenant de la sémantique cognitive, soutiendra que les mots prennent sens à partir des schémas mentaux sur lesquels ils sont greffés. Voilà d'ailleurs comment s'expliquent les métaphores. Si je dis d'un homme qu'il est un « gros matou », personne ne va le prendre pour un chat, chacun comprend que je fais appel à des caractéristiques sous-jacentes des gros chats domestiques: placides, indolents, doux. Ce sont ces traits sous-jacents qui forment la trame des mots et leur donnent sens.

Ronald W. Langacker[1] a appliqué les mêmes principes à la grammaire. Les structures de la grammaire ne reposent pas sur les lois internes au langage, mais dérivent de catégories mentales plus profondes, notamment des représentations spatiales. Ainsi, dans beaucoup de langues, l'expression du temps (futur, passé) est décrite en terme d'espace: on dit « après » – demain ou « avant » – hier, comme on dit que le temps est « long » ou « court ».

Ces approches psychologiques du langage ont donc renversé le rapport entre langage et pensée. Une des conséquences majeures de ce renversement de point de vue est que le langage

1- R. W. Langacker, *Foundations of Cognitive Grammar*, 2 vol., Stanford University Press, 1987-1991.

n'est pas le seul « propre de l'homme[2] » ; il n'est qu'un dérivé de la capacité à produire des représentations mentales, précisément des images mentales organisées en catégories.

Tous les mots comportent de l'implicite

Au moment même où les linguistiques cognitives prenaient de l'importance, un autre courant de pensée, la pragmatique, allait proposer une autre version des relations entre langage et pensée.

Revenons à notre chat perdu. En utilisant le mot « chat », nul ne sait exactement quelle image l'auteur de l'histoire a vraiment en tête: quelle est pour lui sa couleur, sa taille ou sa position exacte? Le mot a la capacité de déclencher des représentations, mais il ne peut les contenir intégralement. C'est sa force mais aussi sa limite.

Selon l'approche de la pragmatique, le langage n'est ni le créateur de la pensée (comme le pensait Saussure) ni son reflet (comme le soutiennent les linguistiques cognitives): il est un médiateur qui déclenche des représentations. C'est un peu comme une étiquette sur une porte qui indique ce qui se trouve à l'intérieur (chambre 23, WC...), mais ne dit rien sur la couleur des murs, la forme du lit ou la position des toilettes.

Cela a d'importantes conséquences sur la façon d'envisager les relations entre langage et pensée. Le mot ne contient pas l'idée, il ne la reflète pas non plus, mais il l'induit. Quand on communique, on ne fait qu'induire une représentation. Le procédé est économique car il n'oblige pas à tout dire: le « toit » sur lequel est perché le chat renvoie implicitement au toit d'une maison, tout le monde le comprend sans qu'il soit besoin de le dire. Tous les mots comportent de l'implicite, qu'il s'agit de décoder. La théorie pragmatique insiste sur le fait que, dans la compréhension d'un message, le contexte est déterminant.

À cela s'ajoute le fait que dans toute communication d'un message, la théorie de la pertinence de Dan Sperber et Deirdre Wilson soutient que l'on ne communique jamais l'intégralité

2- Voir J.-F. Dortier, *L'Homme, cet étrange animal*, 2e éd., éditions Sciences Humaines, 2012.

du message, mais uniquement ce qui est pertinent pour induire le reste. Lorsque j'invite quelqu'un à « prendre une chaise », je ne précise pas que c'est pour s'asseoir, il l'aura compris de lui-même. Et si je lui dis « asseyez-vous », inutile de préciser que c'est une chaise.

En un sens, le langage, comme outil de communication, est réducteur par rapport à la pensée qu'il représente. Mais en même temps, les mots suggèrent toujours plus que la pensée qui les a fait naître, déclenchant chez ceux qui l'écoutent une infinité de représentations possibles.

Jean-François Dortier

LES ORIGINES DU LANGAGE

Pour Richard Klein, paléoanthropologue réputé de l'université de Chicago, le langage humain serait apparu en Afrique il y a environ 50 000 ans à la suite d'une mutation du gène FoxP2[1]. Le langage serait donc le produit d'une mutation génétique parfaitement datable. Cette réponse est toutefois très loin de réunir l'assentiment des spécialistes de la question.

Une question lourde de présupposés...

La question des origines du langage comporte quelques pièges et cache de lourds présupposés.

Premier piège : s'interroge-t-on sur l'origine de la faculté de langage comme maniement de signes (ce qui inclut les diverses langues des signes) ou spécifiquement de la parole ? Ce sont deux questions différentes : le langage des signes montre que l'on peut échanger des signes sans parole.

Deuxième piège : à quoi reconnaît-on un langage ? Toute expression symbolique, par exemple la représentation des mains décalquées dans d'innombrables grottes préhistoriques, est-elle partie prenante d'un langage ? Sans doute, pour les sémioticiens qui étudient les stratégies humaines visant à attacher du sens à un support matériel.

Troisième piège : la formulation présuppose que le langage humain est apparu en un seul lieu à une seule époque (c'est la thèse de la « monogenèse »), alors qu'il est possible qu'il soit apparu à différentes occasions et qu'une seule variante de langage articulé se soit maintenue à la suite d'une compétition ou de l'extinction d'un peuple doté de cette faculté. On a identifié une variante du gène FoxP2 dans deux ossements de Néandertaliens,

1- Voir W. Enard *et al.*, « Molecular evolution of FOXP2, a gene involved in speech and language », *Nature*, vol. CDXVIII, n° 6900, 22 août 2002.

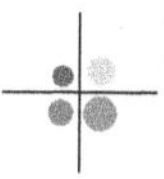

ce qui laisse supposer qu'ils possédaient une aptitude au langage : mais quel genre de langage les Néandertaliens parlaient-ils ?

...qui rebute les linguistes

La question de l'origine du langage humain a hanté les meilleurs esprits aux XVIIe et XVIIIe siècles (John Locke, l'abbé Condillac, Jean-Jacques Rousseau, Johann Herder, etc.). Il s'agissait de recherches purement spéculatives, sans aucun support empirique. Pour éviter ces spéculations débridées à une époque où la linguistique voulait se constituer comme science, la Société de Linguistique de Paris décide en 1866 de bannir toute publication sur le sujet. Cet interdit a longtemps pesé sur la discipline.

Mais à partir des années 1990, la question redevient à l'ordre du jour et suscite une vague de publications, sous l'impulsion d'un foisonnement de recherches en archéologie, éthologie, paléontologie, neurobiologie et psychologie évolutionniste. Témoin de la vitalité des recherches sur les origines du langage, la collection « Studies in the evolution of language », lancée par Frederick Newmeyer et James Hurford en 2001 aux Presses universitaires d'Oxford compte actuellement une bonne vingtaine de titres.

En France, la publication en 2005 d'un livre collectif majeur, *Aux origines des langues et du langage*[2] réunissait vingt auteurs, parmi lesquels douze linguistes côtoyaient huit spécialistes de disciplines aussi variées que la philosophie, la génétique, l'archéologie, la paléoanthropologie, l'éthologie et la neuropsychologie. Et le linguiste J.-M. Hombert s'est associé en 2014 avec l'anthropologue G. Lenclud pour publier un essais de synthèse sur la question (voir page 25 du présent ouvrage).

Paradoxalement, les linguistes dans leur quasi-totalité restent à l'écart des études sur les origines du langage. Certains des travaux les plus avancés sur l'origine du langage humain ont été menés sans l'aval d'aucun linguiste. Ainsi un chapitre captivant de *The*

2- J.-M. Hombert (dir.), *Aux origines des langues et du langage*, Fayard, 2005.

Sapient Mind[3] montre à partir d'études de neuro-imagerie et d'archéologie que les circuits neuronaux pilotant la fabrication d'outils du Paléolithique recouvrent partiellement ceux du langage : ce qui suggère que ces deux types de comportements présupposent tous les deux une aptitude humaine plus générale à accomplir des actes complexes et finalisés. Ces deux aptitudes, technique et langagière, auraient donc probablement évolué en se renforçant mutuellement. Parmi les quatre auteurs de ce chapitre, deux sont archéologues, un autre est spécialiste d'anthropologie cognitive et le dernier d'imagerie fonctionnelle : aucun n'est linguiste.

Mutation génétique ou coévolution ?

De très nombreux chercheurs s'interrogent sur la corrélation entre les transformations physiques (station debout, déplacement du larynx, accroissement du volume crânien, etc.), les capacités mentales et l'émergence des activités symboliques (premier pas vers le langage et les productions artistiques). Deux positions sont actuellement en concurrence.

D'un côté, celle d'une mutation génétique (concernant le gène FoxP2). Quand aurait eu lieu cette mutation ? Récusant la thèse de l'émergence récente soutenue par R. Klein (50 000 ans), deux généticiens hawaïens, Karl Diller et Rebecca Cann[4], affirment de leur côté que la mutation du gène FoxP2 remonte à… 1,8-1,9 million d'années, en s'appuyant sur des données plus compatibles avec les acquis génétiques, archéologiques et anthropologiques.

D'un autre côté, la coévolution entre cerveau, esprit et langage, qui recueille les suffrages d'un grand nombre de chercheurs. L'anthropologue Terrence Deacon avait défendu cette idée, dès 1997, dans *The Symbolic Species* : il émettait l'hypothèse d'une coévolution cerveau-langage selon un processus d'enri-

3- D. Stout, N. Toth, K. Schick et T. Chaminade, « Neural correlates of Early Stone Age toolmaking. Technology, language and cognition in human evolution », *in* C. Renfrew, C. Frith et L. Malafouris (eds.), *The Sapient Mind. Archaeology meets neuroscience*, Oxford University Press, 2009.

4- K. Diller et R. Cann, « Evidence against a genetic-based revolution in language 50 000 years ago », *in* R. P. Botha et C. Knight (dir.), *The Cradle of Language*, Oxford University Press, 2009.

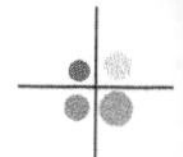

chissement mutuel. L'expansion des connexions neuronales dans le cerveau au cours de l'hominisation a rendu possible les premières formes de langage symbolique, créant un environnement culturel nouveau[5]. Ces deux phénomènes conjugués ont conduit à un véritable bond cognitif. Progressivement, les cerveaux se sont adaptés aux exigences de cette nouvelle « niche culturelle » qu'est le langage (comme le castor s'est adapté à la niche écologique des lacs artificiels qu'il construisait avec ses barrages). Pour T. Deacon, tous les hominidés dotés d'une faculté de symbolisation sont effectivement liés par un vivier commun d'informations symboliques, qui est aussi inaccessible aux autres espèces que le sont les gènes humains. Le « propre de l'homme » tiendrait donc à cette aptitude partagée à manier des symboles, transmise plutôt par sélection culturelle que par des caractéristiques physiques (bipédie, volume crânien, déplacement vers le bas du larynx).

Jacques François

5- Cf. J. François, « L'émergence et l'évolution du langage humain du point de vue des neurosciences », *Cognition, Représentations, Langages*, n° 12-2, déc.2014. http://corela.revues.org/

Trois théories sur les origines du langage

Le linguiste W. Tecumseh Fitch, professeur de biologie évolutionniste à l'université de Vienne, dans son livre *The Evolution of Langage* (Cambridge University Press, 2010) présente et discute trois théories de la genèse du langage articulé.

La genèse lexicale du langage est la seule qui ait suscité d'importants travaux de linguistes. Elle porte sur l'origine du matériau grammatical issu du lexique : l'idée est celle d'une genèse grammaticale par répétition de plus en plus figée – un exemple célèbre est fourni par la descendance en français du latin « hodie » devenu en ancien français « hui » et, dans le français actuel : « au + jour + d'hui » (c'est-à-dire *au jour d'aujourd'hui*).

La genèse gestuelle du langage a été confortée par la découverte des neurones-miroirs : ces neurones s'activent à l'exécution de certains gestes (par exemple prendre un objet), mais également à l'observation, à la représentation ou à la description de ce geste.

La genèse musicale du langage, initialement impulsée par Charles Darwin, a également ses partisans : elle suppose que le langage trouve ses sources en particulier sous la forme d'un « protolangage musical ».

J.F.

K. Diller et R. Cann, « Evidence against a genetic-based revolution in language 50 000 years ago », *in* R.Botha et C. Knight (dir.), *The Cradle of Language*, *op. cit.*

COMMENT LE LANGAGE EST-IL VENU ?
Rencontre avec Jean-Marie Hombert et Gérard Lenclud

Dans Comment le langage est venu à l'homme *(Fayard, 2014), un ouvrage qui compile des siècles de débats, d'hypothèses et de spéculations sur les origines du langage, Jean-Marie Hombert et Gérard Lenclud défendent l'idée d'un processus d'apparition graduel, à l'encontre de certains chercheurs prônant que la parole résulte d'une mutation soudaine de notre espèce.*

Le langage serait-il le propre de l'humain ?

G. L. – Tout dépend, évidemment, de la définition que l'on donne du langage. Disons qu'il s'est produit une rupture entre les systèmes de communication dont disposent les animaux et le langage, à partir du moment où des êtres ont disposé des moyens d'évoquer des choses absentes de leur champ de vision, et d'en faire le contenu de messages émis intentionnellement.

J.-M. H. – Lorsque l'on parle de l'origine du langage humain, le mot « origine » renvoie à l'idée d'un commencement absolu. Le langage serait apparu d'un coup. Or tout indique que le processus a été graduel. Il se serait déroulé en trois grandes étapes :

1) d'abord un système de communication à base de signaux gestuels ;

2) puis émergence et adjonction de signaux vocaux ;

3) et très tardivement, apparition du langage tel que nous le connaissons, avec son usage compositionnel de signes (les mots) et sa régulation syntaxique. La syntaxe permet en particulier de rendre présent le passé et le futur, le possible ou l'impossible, de raconter et d'argumenter.

Quels sont les prérequis définissant le langage ?

J.-M.H. – Si l'on veut regarder très loin en arrière, le passage progressif à la bipédie a joué un rôle crucial. D'abord, il a pesé sur l'évolution de l'appareil phonatoire humain. Mais, surtout, l'adaptation bipède a impliqué la réduction du bassin. Or un bassin étroit entraîne des difficultés à la parturition. Du même coup, la sélection naturelle a joué en faveur d'un processus consistant à différer dans le temps la croissance du volume cérébral. D'où le fait que l'homme dispose durant sa très longue enfance d'un temps d'apprentissage dont la durée n'a pas d'équivalent chez les êtres vivants. Il sera mis à profit notamment dans le domaine de l'acquisition linguistique et culturelle.

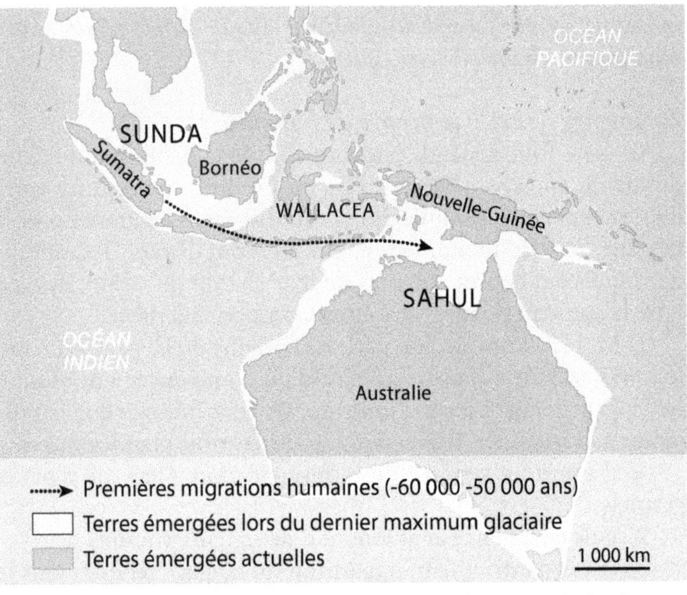

Il y a 120 000 ans commence la dernière glaciation. Le niveau des mers est plus bas d'environ 120 mètres, les surfaces émergées plus importantes. Il y a 60 000 ans, les hommes quittent le continent de Sunda pour gagner, *via* la barrière maritime de Wallacea, le continent de Sahul. Pour cela, ils doivent traverser des étendues maritimes d'au moins 100 km de large, donc avoir des embarcations, et un langage pour se coordonner. Si les Aborigènes australiens, comme tous les humains ailleurs sur la planète, maîtrisent la compétence langagière, c'est que celle-ci est antérieure à la migration qui a peuplé l'Australie voici au moins 50 000 ans, expliquent Jean-Marie Hombert et Gérard Lenclud.

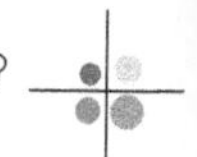

Selon vous, le langage est donc apparu graduellement. Mais quelles traces laisse le langage pour que l'on puisse situer ces étapes dans le temps ?

G.L. – Le terme de trace est équivoque. Certes il désigne des objets matériels mais aussi des entreprises, par exemple le passage des *Homo sapiens* vers l'Australie il y a environ 50 000 ans.

J.-M.H. – Notre hypothèse, avec ce voyage vers l'Australie, est que les auteurs de ces traversées maritimes – 100 kilomètres d'océan (voir carte ci-contre) – devaient disposer de suffisamment de langage, et d'un langage suffisamment sophistiqué, pour discuter du projet et en coordonner la réalisation.

Peut-on penser que le langage ait été inventé une fois, ou plusieurs ?

J.-M.H. – Il est très compliqué de répondre à cette question. Il existe aujourd'hui environ 7 000 langues. La linguistique a les moyens de détecter l'origine d'un certain nombre de ces langues, regroupées en familles. Elle essaie, par exemple, de recenser les mots communs entre des langues apparentées afin de retrouver la langue d'origine, et elle remonte ainsi au grand maximum à 10 000 ans. Sachant qu'il y a à peu près 300 familles linguistiques – le nombre varie selon les classements –, et que pour la plupart, on remonte à 2 000 ans, si on se situe à 10 000 ans, on retient une douzaine de familles. Évidemment, plus on va loin dans le passé, moins il y a d'accord entre les linguistes sur les données. À 10 000 ans, il reste environ 1 % du lexique. On n'ira pas au-delà de 10 000 ans, et les *Homo sapiens* sont partis d'Afrique voici près de 70 000 ans. Sur cette période cruciale, entre 10 000 et – 70 000, la linguistique ne sait pas quoi dire.

G.L. – Inutile de dire que, dans ces conditions, l'idée d'identifier une langue mère est parfaitement illusoire !

Mais est-il possible que le langage ait été inventé en plusieurs lieux ?

J.-M.H. – Nous avons tenté de montrer que l'histoire évolutive de l'homme met en présence trois processus, nullement coordonnés entre eux, conduisant séparément et selon des voies non linéaires, *via* une « mosaïque » de changements, à la modernité anatomique, culturelle et linguistique. Pour ce qui est du trajet menant à l'émergence du langage moderne, avec sa structure de phrase, rien n'interdit d'imaginer que des précurseurs de nos langues soient apparus en des lieux différents occupés par des *Homo sapiens*, entre 80 000 et 50 000 ans, par exemple sur le sol africain lui-même, ou quelque part entre l'Afrique et l'Australie, ou au Moyen-Orient.

À quoi ressemblait le système de communication de nos ancêtres ? Communiquaient-ils avec signes et cris, comme nos cousins les chimpanzés ?

G.L. – L'hypothèse retenue dans notre ouvrage est que les vocalisations des primates non humains ne sont pas les ancêtres de nos mots. Il faut savoir que les signaux vocaux des chimpanzés, dont le caractère intentionnel n'est pas toujours certifié, sont commandés par des zones cérébrales correspondant, chez nous, à celles qui commandent l'émission de vocalisations émotionnelles, comme les cris de douleur. En revanche, chez les chimpanzés, l'émission de gestes communicatifs, répondant à de véritables intentions communicatives, est contrôlée par les régions cérébrales qui sont les précurseurs de celles qui, chez nous, contrôlent l'usage du langage articulé. Aussi étrange que cela puisse sembler, les gestes du chimpanzé seraient donc l'homologue des mots humains.

Alors, demandera-t-on, pourquoi ce passage du geste à la parole dans la lignée humaine ?

Disons que l'un des avantages du langage parlé est qu'il contribue, plus efficacement que la communication gestuelle, à l'entretien du lien social. Il libère de l'obligation faite à nos plus proches cousins de nouer avec autrui une relation d'individu à individu, « entre deux yeux ». L'usage de la parole permet de multiplier le nombre des interlocuteurs, et le langage fait société.

Propos recueillis par Laurent Testot

EXISTE-T-IL DES UNIVERSAUX DU LANGAGE ?

Un débat de près d'un siècle oppose les linguistes à propos de l'existence de traits universels – appelés « universaux » – du langage. Deux thèses s'affrontent à ce propos : pour Edward Sapir[1] et Benjamin L. Whorf[2], qui avaient étudié de façon approfondie les langues des peuples amérindiens, ces dernières véhiculent des univers culturels étanches, en particulier pour représenter l'espace et le temps. L'hypothèse dite de Sapir-Whorf admet donc un « relativisme linguistique » irréductible, qui met en cause toute activité de traduction entre langues culturellement éloignées.

La thèse opposée est celle de l'universalisme linguistique, dont Noam Chomsky[3] est la figure emblématique. Sa théorie suppose que tout enfant dispose dans son patrimoine génétique d'une faculté innée de langage (élaborée progressivement au cours de l'histoire de l'espèce humaine) engendrant une grammaire universelle. Il s'agirait d'une prédisposition innée à reconnaître quelques principes d'organisation communs entre les langues du monde, en dépit de matériaux phonologiques, grammaticaux et lexicaux très divers. Ces deux thèses sont généralement présentées comme irréductiblement antinomiques[4].

De nombreux linguistes savent depuis longtemps que la théorie de la grammaire universelle de Chomsky rencontre des contre-exemples incontournables, mais il n'en est pas de même des psychologues et neuroscientifiques qui se réfèrent massive-

1- E. Sapir (1921), *Le Langage,* Payot, 1970, téléchargeable sur http://classiques.uqac.ca/classiques/Sapir_edward/langage/langage. html

2- B. L. Whorf, *Anthropologie linguistique,* Gonthier, 1969.

3- N. Chomsky, *Le Langage et la Pensée,* Payot, 2012.

4- Le remarquable manuel de W. Foley, *Anthropological Linguistics,* Blackwell, 1997, est bâti sur cette antinomie.

ment à la pensée chomskyenne. C'est pourquoi, dans un article[5] qui a fait grand bruit, Nicholas Evans et Stephen Levinson ont établi une liste détaillée et argumentée de ces contre-exemples à l'intention de tous les chercheurs, linguistes ou pas, adeptes de la thèse de la grammaire universelle. L'une des hypothèses centrales de la grammaire universelle est la distinction entre l'existence dans toutes les langues de deux types de matériau lexical, les noms (lexique nominal) et les verbes (lexique verbal). Ces deux ensembles peuvent occasionnellement se recouvrir dans certaines langues (par exemple, en anglais, (*the/to*) *house* signifie soit la maison, soit loger), mais la distinction serait universelle. Pourtant des études menées sur la langue aztèque (ou *nahuatl* classique) et sur le *pirahã* (langue d'une minuscule communauté d'Amazonie) ont remis en cause l'universalité de cette distinction.

Atomes et molécules de sens

La polémique est loin d'être close et, dans le grand débat sur le partage de propriétés entre langues, certains auteurs pensent que l'on pourrait dépasser l'antinomie radicale entre universalisme et relativisme.

Une première tentative est celle de la linguiste polonaise Anna Wierzbicka, installée depuis des décennies en Australie et auteure d'une théorie de la métalangue sémantique naturelle. Son entreprise concerne le sens des mots (ou sémantique lexicale) ; elle consiste à cumuler deux niveaux de sens : il existerait un premier niveau élémentaire de formation du sens des mots qu'A. Wierzbicka assimile à des atomes de sens, les *semantic primes*. Ces atomes, supposés universels sur la base de l'étude de nombreuses langues, sont au nombre d'une soixantaine environ, parmi lesquels « (quelque) chose », « corps », « partie », « bon », « mauvais », « grand », « petit », etc. À un niveau supérieur, les atomes se combinent pour former des molécules qui constituent

5- N. Evans et S. Levinson, « The myth of language universals. Language diversity and its importance for cognitive science », *Behavioral and Brain Science*, n° 32, 2009 ; voir aussi N. Evans, *Ces mots qui meurent. Les langues menacées et ce qu'elles ont à nous dire*, La Découverte, 2012.

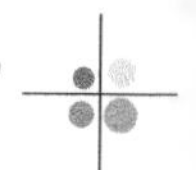

le sens des mots de chaque langue. Même entre des langues dont le lexique véhicule des cultures très éloignées, les constituants ultimes de ces lexiques sont donc communs. Certaines de ces molécules de sens tiennent une place centrale dans une langue et lui donnent son caractère propre. Dans un livre[6] de 1997, elle examine les « mots-clés » de cinq langues : l'anglais, le russe, le polonais, l'allemand et le japonais. Elle étudie notamment comme ces langues expriment les notions d'amitié, de liberté ou de patrie. Ainsi le français « patrie » renvoie à l'image du père comme l'allemand *Vaterland*, tandis que l'anglais *homeland* renvoie à celle du « chez soi » comme l'allemand *Heimat*.

L'autre entreprise, qui domine actuellement la typologie des langues, c'est-à-dire leur classement en fonction d'une grille de traits grammaticaux, est due à Joseph Greenberg[7] qui, dès 1966, propose un classement des universaux linguistiques organisés en quatre types : les universaux absolus inconditionnels (toutes les langues présentent la propriété X) ; les tendances universelles inconditionnelles (la plupart des langues présentent la propriété X) ; les universaux implicatifs absolus (si une langue présente la propriété X, elle présente toujours aussi la propriété Y) et les tendances implicatives universelles (si une langue présente la propriété X, elle présente le plus souvent aussi la propriété Y). Le quatrième type, celui des tendances implicatives universelles, est le plus largement représenté.

Le duel, entre singulier et pluriel

Frans Plank et ses collaborateurs ont constitué à l'université de Constance (Allemagne) une archive des universaux[8] très bien documentée, qui en compte plus de mille. Un exemple élémentaire est fourni par la façon de marquer le singulier ou le pluriel : certaines langues ne les marquent pas sur les noms, d'autres (comme le grec et l'arabe classiques) ajoutent une distinction entre « 2 entités » (le duel) et « plus de 2 entités ».

6- A. Wierzbicka, *Understanding cultures through their key words*, Oxford University Press, 1997.

7- J. Greenberg, *Language universals*, Mouton, 1966.

8- Universals Archive, http://typo.uni-konstanz.de/archive/

À cette première observation typologique s'ajoute une autre observation qui concerne directement les universaux : parmi toutes les langues actuellement décrites, aucune langue distinguant un duel n'est dépourvue d'une distinction entre singulier et pluriel c'est-à-dire qu'aucune langue décrite ne se contente de distinguer entre le duel et le non-duel (qui couvrirait à la fois 1 et supérieur à 2). Cette double observation reflète certainement une hiérarchie des besoins de communication linguistique[9] : s'il est important pour une communauté linguistique de distinguer grammaticalement entre « 2 » et « plus de 2 » individus, il faut préalablement que cette communauté distingue entre « 1 » et « plus d'1 » individu. Et comme on constate par ailleurs que le duel ne s'applique généralement qu'à des personnes et non à des choses ou des événements, cela signifie que dans ces communautés s'est fait sentir le besoin de distinguer grammaticalement une action accomplie par 1, 2 ou plus de 2 individus. Si, à travers leurs critiques, N. Evans et S. Levinson visent explicitement les universaux des types 1 et 3 (les universaux sans exception, avec ou sans condition), en revanche, ils ne trouvent à contester dans ceux des types 2 et 4 (les tendances avec ou sans condition) que leur classement au titre d'« universaux » linguistiques. Mais ce n'est plus là qu'une question de terminologie.

Jacques François

9- Pour Michael Tomasello, spécialiste de la comparaison entre les capacités cognitives et communicatives des jeunes enfants et des chimpanzés, il n'y a pas d'universaux « de langue » mais seulement des universaux « de communication, de cognition et de psysiologie » (*Constructing a language*, 2003, Harvard University Pess).

L'hypothèse Sapir-Whorf

« Quelle est l'influence réciproque des opinions du peuple sur le langage et du langage sur les opinions ? » se demandaient, en 1757, les membres de l'Académie de Berlin. Posée sous de multiples formes, cette question a suscité la réflexion des philosophes, des lettrés, puis des linguistes, depuis que le simple constat de la diversité des langues parlées dans le monde peut être fait. Sommes-nous amenés, parce que nous utilisons des grammaires et des lexiques différents à penser différemment ? Cette diversité des langues va-t-elle jusqu'à rendre les cultures humaines hétérogènes les unes aux autres ?

Dans les années 1950, deux linguistes américains, Edward Sapir et Benjamin Lee Whorf, aboutirent à la formulation d'une thèse qui a constitué pendant longtemps une référence pour le relativisme linguistique : les hommes vivent selon leurs cultures dans des univers mentaux très distincts qui se trouvent exprimés (et peut-être déterminés) par les langues différentes qu'ils parlent. Aussi, l'étude des structures d'une langue peut-elle mener à l'élucidation de la conception du monde qui l'accompagne. Cette proposition a suscité l'enthousiasme d'une génération entière d'anthropologues, de psychologues et de linguistes américains et, dans une moindre mesure, européens, avant d'être mise à mal par le courant cognitiviste.

Le langage, guide de la réalité sociale

E. Sapir, linguiste et anthropologue, spécialiste des langues amérindiennes et inventeur de la notion de phonème, est surtout responsable d'avoir préparé le terrain à la formulation de la thèse qui porte son nom. En effet, on trouve dans son œuvre, développée dans les années 1920 et 1930, l'affirmation de deux idées. D'abord un culturalisme, dominant à l'époque, qui accordait une place quasi exclusive à l'acquis dans la détermination des comportements humains. Ensuite, la conviction que les « sociétés vivent dans des mondes distincts », et que le langage est un « guide de la réalité sociale ».

Son rôle, comme linguiste, est d'avoir développé deux autres arguments, importants pour Whorf comme pour la linguistique en général. D'abord, il avance l'idée, issue de la phonologie, que les langues sont des systèmes de formes dont chaque élément est logiquement dépendant des autres. Ensuite, il énonce que, derrière les formes lexicales et grammaticales, il existe des « formes de pensée » plus ou moins inconscientes. Sapir appelle cela des « sentiments de forme », et insiste sur le fait qu'ils « organisent l'expérience différemment » selon les langues, et donc les cultures. Toutefois, il ne va pas plus loin dans la démonstration de correspondances entre langues et cultures.

Différentes façons de penser le monde

B.L. Whorf, qui fut l'élève et l'assistant de Sapir, en fit, lui, son sujet de réflexion le plus abouti. Son œuvre, interrompue par la mort en 1941, porta d'un côté sur l'étude de l'écriture et de la grammaire des Indiens hopi de l'Arizona, et de l'autre, sur l'analyse comparée des rapports entre langue et pensée. C'est à ce propos qu'il formula ce qu'on appela par la suite l'hypothèse Sapir-Whorf, contenue dans une série d'essais. La thèse qu'il y défend peut se résumer ainsi :

- Des langues aussi éloignées que l'anglais et le hopi utilisent des manières très différentes de décrire le monde, l'action, le mouvement, le temps et l'espace.
- Les cultures humaines sont influencées par les « infrastructures » des langues dans lesquelles elles s'expriment. Ces infrastructures sont des modes de pensée profonds enfouis sous les langues, qu'il appelle « cryptotypes », dont Whorf dégage quelques exemples en comparant les langues amérindiennes et européennes.
- On peut en déduire que les locuteurs de ces langues ne pensent pas le monde et ne perçoivent pas le temps et l'espace de la même façon.

Influence et déclin d'une brillante idée

Dans les années 1950, la thèse Sapir-Whorf orienta de nombreuses recherches destinées soit à l'illustrer, soit à la vérifier. Des ethnolinguistes se mirent à étudier la manière dont, dans des langues non écrites, le temps, l'espace, le mouvement, l'étendue étaient exprimés. La plupart de ces travaux ont été, à leur manière, concluants : ils ont dégagé des correspondances possibles. Mais pouvaient-ils apporter de nouvelles preuves que langue et pensée sont liées au point d'introduire de tels écarts dans la conception du monde de différentes sociétés ?

L'influence de l'hypothèse Sapir-Whorf déborda largement le champ des études linguistiques : prenant un sens général, elle fonctionna, jusque dans les années 1970 – et continue d'être citée aujourd'hui – comme un argument en faveur du relativisme culturel dans d'autres domaines des sciences sociales (ethnologie, histoire, droit, théorie littéraire). En France, la traduction du recueil de Whorf, en 1969, connut immédiatement une édition de poche, et sa leçon fut, souvent, exploitée par des ethnologues pour souligner la spécificité des cultures qu'ils décrivent.

L'effacement assez rapide, à partir du début des années 1970, de la thèse Sapir-Whorf est attribuable en fait à deux autres causes. D'abord, 1969 est l'année de la fameuse étude de Brent Berlin et Paul Kay sur les couleurs. Cette recherche, contrairement aux précédentes, montrait de manière convaincante que la classification des couleurs obéit à des règles identiques dans toutes les langues, et donc peut être considérée comme

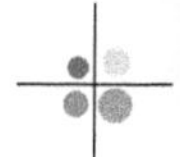

contrainte, indépendamment des variations culturelles, par les mécanismes universels de la perception humaine. Cette observation, critiquée depuis, reste tout de même dans l'arène théorique, la référence expérimentale la plus citée contre la thèse Sapir-Whorf.

Ensuite, les années 1970 virent le succès grandissant des thèses innéistes, selon lesquelles les cadres de la pensée humaine sont dominés par des mécanismes neuropsychologiques fondamentaux et universels. Principaux initiateurs de ce changement des idées : Jean Piaget, en psychologie, avec ses étapes obligées du développement logique, et Noam Chomsky, en linguistique, avec ses structures profondes du langage antérieures à toute culture.

Aujourd'hui, la thèse Sapir-Whorf est-elle définitivement enterrée par l'intérêt prioritaire porté aux universaux ? La réponse est complexe car, à ce jour, aucune démonstration magistrale de l'unité des structures grammaticales qui soustendent les diverses langues du monde n'a été fournie. Les recherches sur les universaux sémantiques n'ont pas vraiment tenu leurs promesses. Quant aux ethnosciences, leurs résultats se cantonnent à des secteurs bien délimités des cultures (catégories de la nature, systèmes de parenté, couleurs). Pour le reste, l'intérêt porté aux variations culturelles poursuit une carrière légitime tant chez les ethnologues que chez les linguistes.

Nicolas Journet

Noam Chomsky, à la recherche de la grammaire universelle

Le linguiste américain Noam Chomsky a joué un rôle décisif en linguistique en tant que fondateur de la grammaire générative durant la seconde moitié du xxe siècle.

La grammaire générative et ses reformulations successives

Le projet de Chomsky formulé pour la première fois dans *Structures syntaxiques* (1957) consiste à établir quelques structures fondamentales qui seraient à la base de toutes les langues du monde (plus exactement de toutes les grammaires du monde). L'ambition du linguiste est de fournir un modèle de grammaire qui soit à la fois « universel » et « génératif » :
– universel car, il existerait au-delà des grammaires de surface propres à chaque langue, – anglais, français ou chinois – des règles syntaxiques communes à toutes les langues du monde ;
– « génératif », car ces règles permettent de produire, (de « générer ») tous les énoncés d'une langue, des phrases les plus simples aux plus complexes.

L'arbre syntaxique

La grammaire générative est un peu à l'image du code génétique qui produit un nombre infini de formes par combinaison d'un nombre limité de protéines. Pour construire son modèle, Chomsky part donc à la recherche de « constituants » fondamentaux et de règles de production qui les unissent entre eux.
Soit la phrase :
1. « Le boulanger fait du pain », elle peut être décomposée en ses éléments
1. « Le boulanger » = S.N. (syntagme nominal)
2. « fait du pain » = S.V. (syntagme verbal)
Cette phrase sera décrite sous la forme

P = SN + SV

Il est facile de transformer la phrase par « le pain est fait par le boulanger » en permutant les termes (règles de réécritures et de transformation). Sur la même structure, on peut décrire la phrase : « La femme du géomètre est partie au Japon » ou « Toutes les fleurs du monde ne suffiraient à éponger ses larmes ».

Quelques années après avoir énoncé les principes de sa méthode, Chomsky aboutit à la construction d'un premier modèle, connu sous le nom de « Théorie standard » (formulé dans *Aspects de la théorie syntaxique*, 1965). Sa théorie repose sur l'idée de « règles de production » et le principe d'une totale autonomie de la grammaire par rapport à la sémantique.

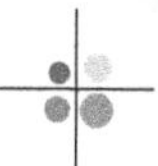

Mais cette première théorie standard se heurtera bientôt à des difficultés internes et Chomsky se verra contraint de remanier et d'étendre son modèle pour faire entrer les exemples de plus en plus nombreux qui résistent à sa théorie. Par exemple, la phrase « le boulanger a été fait par le pain » est correcte grammaticalement mais n'a aucun sens. Cela oblige Chomsky à envisager de façon différente les liens entre sémantique et grammaire ; de même il doit abandonner la théorie des phrases noyaux. La nouvelle mouture de sa théorie est nommée « Théorie standard étendue » (TSE) et formulée dans *Questions de sémantique* (1970, trad. fr. 1975), *Réflexions sur le langage* (1970, trad. fr. 1977).

Audience et fortune d'une théorie

Au fil du temps, la théorie de Chomsky gagne une grande audience dans la communauté linguistique et bien au-delà. Mais en même temps, les contradictions et impasses s'accumulent. Les remaniements successifs de son modèle ont eu lieu sur fond de crise ouverte avec certains de ses anciens élèves, notamment les tenants de la « sémantique générative » (G. Lakoff). À son tour, le modèle de la théorie standard étendue fait l'objet de critiques. Ce qui conduira Chomsky à une reconstruction totale de sa théorie, présentée dans les années 1980 sous le nom la « théorie des principes et des paramètres » et centrée autour de la notion de grammaire universelle (*La Nouvelle Syntaxe*, 1982, trad. fr. 1987). Puis, au début des années 1990, un nouveau « programme minimaliste » est ébauché (*The minimalist program*, 1995). Au total, Chomsky aura donc formulé plusieurs versions de sa théorie, sans être parvenu à fournir un modèle satisfaisant.

Si elle fut la plus connue, la grammaire générative de Chomsky ne fut pas la seule tentative pour construire une grammaire générale des langues humaines. La grammaire de Richard Montague (1930-1971), qui visait à décrire l'anglais à partir d'une armature logique élémentaire, relève de cette approche. À la même époque, la « syntaxe structurale » forgée par Lucien Tesnière (1893-1954) visait à décrire l'organisation générale de la phrase (dans de nombreuses langues du monde) à partir de grands blocs (les constituants de la phrase) unis entre eux par des relations de connexion ou de translation.

Plus tard, dans les années 1980 vont apparaître des « grammaires d'unification », dont l'objectif est d'unifier syntaxe et sémantique.

Après des décennies de recherche, aucun de ces modèles n'a vraiment réussi à s'imposer et l'espoir de trouver un modèle simple et généralisable permettant d'expliquer les fondements de la grammaire n'a pas abouti à ce jour.

Jean-François Dortier

Y A-T-IL UN CENTRE DU LANGAGE ?

C'est au XIXe siècle que des médecins ont avancé l'idée que le cerveau ne formait pas un tout uniforme mais était décomposable en plusieurs aires, chacune impliquée dans différentes fonctions : le langage, le calcul, les émotions… Le docteur Paul Broca, notamment, a été le premier à établir un lien entre le langage et une région cérébrale. Il suivait le patient Leborgne qui ne pouvait plus parler mais comprenait ce qu'on lui disait. À la mort de ce patient, P. Broca découvrit une lésion dans l'hémisphère gauche du cerveau touchant la région frontale. Cette observation le conduisit à l'hypothèse, formulée en 1861, que cette région constituait le centre de production de la parole.

À la même époque, un neurologue, Carl Wernicke, décrivit des troubles de compréhension de la parole chez des patients présentant des lésions au niveau de la jonction entre gyrus temporal supérieur et gyrus pariétal, toujours dans l'hémisphère gauche du cerveau. Deux centres du langage furent alors proposés : l'aire de Broca responsable de la parole et l'aire de Wernicke pour la compréhension (figure 1).

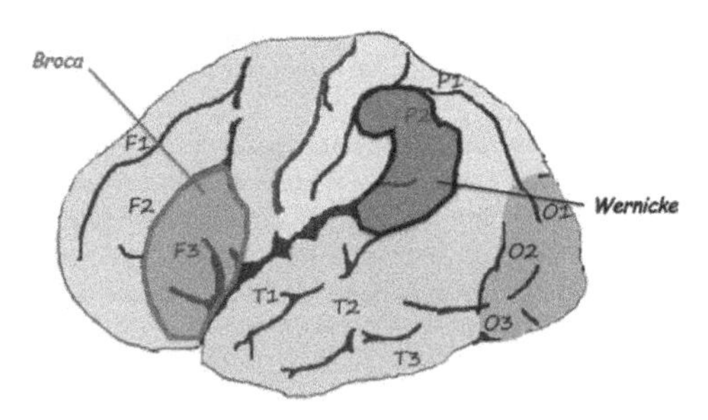

Figure 1 : Cerveau (hémisphère gauche) avec les noms des gyrus. Les zones décrites par Paul Broca et Carl Wernicke sont indiquées.

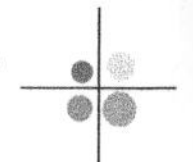

Au XXe siècle, la psycholinguistique[1] s'est considérablement développée et la fonction de langage a été décomposée en un ensemble de composantes permettant de décrire les sons utilisés dans les mots, les mots eux-mêmes, les règles agençant les mots dans la phrase (syntaxe) ainsi que le sens des phrases (sémantique). En outre, la recherche a montré que le système de traitement de la parole interagissait avec d'autres fonctions cognitives, comme la mémoire de travail[2], l'attention, les connaissances conceptuelles...

L'essor des techniques d'imagerie cérébrale

Imaginez que l'on vous demande : « Un éléphant peut-il rentrer dans une boîte à chaussures ? » Plusieurs étapes sont nécessaires pour que vous puissiez répondre : vous devez entendre les sons, identifier les mots, traiter la syntaxe de la phrase et comprendre le sens de la question puis, imaginer l'éléphant, visualiser sa taille, la taille de la boîte à chaussures et déterminer finalement si oui ou non cette boîte peut contenir l'éléphant. Tout cela nécessite non seulement de comprendre la parole mais aussi de porter votre attention sur la question posée et de maintenir en mémoire cette question pendant que vous explorez vos connaissances conceptuelles. Donc, d'un modèle bicentrique de la parole (compréhension-production), nous sommes passés à un système beaucoup plus complexe incluant différents systèmes en interaction.

Depuis les années 1980, l'essor des techniques d'imagerie cérébrale fonctionnelle[3] a permis d'explorer le cerveau sans avoir à ouvrir la boîte crânienne des patients. Ces techniques permettent d'enregistrer l'activité cérébrale d'une personne en train d'effectuer une tâche cognitive, comme, par exemple, écouter une phrase. En fonction de la tâche, différentes zones cérébrales

1- La psycholinguistique est l'étude des processus cognitifs mis en œuvre pour la compréhension et la production de la parole.

2- La mémoire de travail est le système dédié au maintien des informations en mémoire à court terme pour permettre leur traitement.

3- L'imagerie par résonance magnétique fonctionnelle (IRMf) et la tomographie par émission de positons (TEP).

peuvent s'activer, l'idée étant qu'une zone active lors d'une tâche donnée est nécessaire à la réalisation de cette tâche.

Dans le domaine du langage, ces méthodes ont permis de confirmer le rôle prépondérant de l'hémisphère cérébral gauche. Mais elles ont aussi remis en question l'idée d'un centre de production et d'un centre de compréhension de la parole dans le cerveau. Nous savons désormais que parler active bien plus que l'aire de Broca. La sélection sémantique est associée au gyrus frontal moyen mais aussi au gyrus temporal moyen, notamment sa partie antérieure alors que la partie postérieure et le gyrus temporal supérieur sont impliqués dans la sélection des mots et des sons qui les composent. Si la demande en mémoire de travail est accrue, c'est la jonction temporo-pariétale qui s'active. Et c'est la zone antérieure des lobes temporaux, de façon bilatérale, qui stocke nos connaissances conceptuelles.

En ce qui concerne la compréhension de la parole, si la région décrite par C. Wernicke semble bien impliquée dans la perception des sons qui composent les mots, elle n'est pas la seule à s'activer lorsque l'on écoute une phrase. L'analyse sémantique implique les régions temporales antérieures, notamment du gyrus temporal moyen : l'analyse syntaxique requiert la région frontale inférieure (celle décrite par P. Broca), ainsi que des régions sous-corticales – les ganglions de la base – cachées dans la profondeur du cerveau. Enfin, les efforts d'attention et de mémoire de travail nécessaires pour comprendre une phrase complexe entraînent l'activation du gyrus frontal inférieur et de la jonction temporo-pariétale.

En réalité, le schéma clair d'un centre dédié à la compréhension de la parole et d'un centre dédié à sa production s'est largement complexifié (figure 2).

Certaines régions sont associées à plusieurs composantes du langage. La région de Broca, par exemple, est impliquée dans la production de mots mais aussi dans l'analyse syntaxique des phrases entendues. De plus, le système de traitement de la parole interagit avec d'autres systèmes comme ceux de la mémoire de travail et de l'attention.

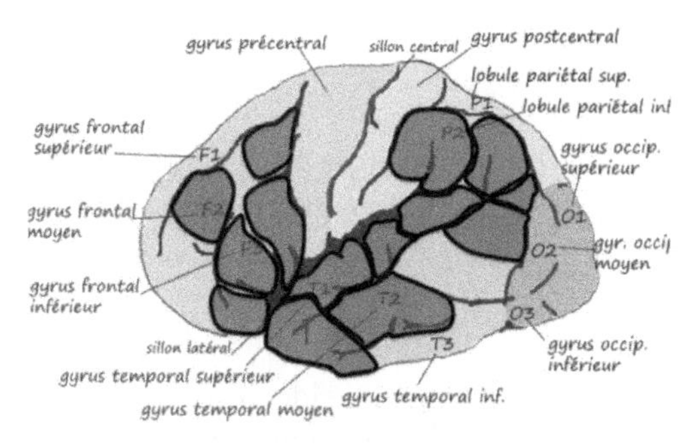

Figure 2 : Cerveau sur lequel sont indiquées en foncé toutes les zones impliquées dans le traitement de la parole.

Enfin, au-delà de la simple description des activations des zones cérébrales impliquées dans le langage, la prochaine étape pour la recherche en psycholinguistique est de mieux comprendre la dynamique des connexions entre toutes ces zones.

Charlotte Jacquemot

CE QUE NOUS APPRENNENT LES TROUBLES DU LANGAGE

Lire un texte, exprimer une idée, écouter un message vocal ou écrire un e-mail sont autant d'activités langagières que nous réalisons au quotidien. Un trouble langagier peut perturber ces activités en survenant à n'importe quel âge de la vie, qu'il s'agisse de dysphasie ou dyslexie chez l'enfant, ou d'aphasie subséquente à une neuropathologie apparue à l'âge adulte. Ces troubles du langage d'origine neurologique se manifestent par des altérations du langage liées à des incapacités plus ou moins sévères à traiter le langage de manière fluide. Ces incapacités peuvent affecter le comportement langagier dans sa globalité, ou se révéler à travers des perturbations plus sélectives, telles que des perturbations de l'accès au mot dans l'aphasie anomique, ou des difficultés d'encodage de la morphologie grammaticale dans l'aphasie avec agrammatisme. Il peut s'agir d'un trouble altérant seulement le versant expressif avec une compréhension préservée, ou à l'inverse, d'un trouble de la compréhension avec une expression préservée. De la même manière, les déficits sous-jacents en cause dans les pathologies du langage peuvent concerner spécifiquement soit le langage oral, soit le langage écrit.

L'étude du langage dans sa normalité ou ses troubles peut éclairer le linguiste et le psycholinguiste sur les fondements du langage lui-même, et contribuer à mieux comprendre les structures et l'utilisation que nous faisons du langage au quotidien. C'est en étant mieux capable de décrire les déviances du comportement verbal que l'on peut nourrir la réflexion en linguistique, psycholinguistique et neurolinguistique.

Décrire les déviances de langage

À la base, la démarche du psycholinguiste consiste notamment à s'appuyer sur la description des erreurs « ordinaires » (les déviances observées dans la normalité, tel un lapsus du type « Regarde, les poussiers… les rosiers ils reprennent ») d'une part, et les erreurs « extraordinaires » d'autre part (les déviances plus systématiques liées à une pathologie neurologique sous-jacente particulière, tel un patient aphasique disant « Jambe raide bois pareil » pour « Ma jambe est raide comme du bois »). Lorsqu'on s'intéresse aux processus langagiers normaux ou aux dysfonctionnements langagiers, la notion d'erreur est importante[1] car c'est un indice comportemental linguistique qu'on « analyse comme une manifestation du fonctionnement cognitif du langage, comme un reflet des processus sous-jacents de production du langage, et une émergence des structures linguistiques elles-mêmes », et qui permet ainsi d'étayer les modèles de production du langage[2]. Suite à une neuropathologie observée chez un locuteur dont la production langagière se voit altérée, il est possible d'induire quelles capacités de traitement linguistique ont pu être préservées ou se révéler déficitaires (notamment grâce à un bilan orthophonique et neuropsychologique par exemple). Dans cette perspective, les méthodes et outils conceptuels développés en sciences du langage rendent ainsi possible la description fine des erreurs, grâce notamment aux recherches menées en linguistique générale pour comprendre l'organisation phonétique, phonologique, prosodique, lexico-sémantique, morphosyntaxique ou pragmatique d'une langue donnée.

Valider ou développer une théorie du langage

Une autre démarche consiste à utiliser la théorie du langage pour proposer une explication plausible des déviances systématiques observées dans le comportement langagier d'un patient. Une fois que les déviances sont linguistiquement caractérisées, elles peuvent alors servir à tester des concepts établis ou même

1- V. A. E. Fromkin, *Speech Errors as Linguistic Evidence*, The Hague, Mouton, 1973.
2- M. Rossi, E. Peter-Defare, *Les Lapsus ou Comment notre Fourche a Langué*, Puf, 1998, p. 14.

dégager une nouvelle théorie. Classiquement, les patients aphasiques manifestent des déficits d'encodage et/ou de décodage du message verbal liés à des difficultés d'utilisation du système intériorisé d'une langue. Avant l'apparition du trouble, le système était alors parvenu à un état « stable », c'est-à-dire qu'il était complètement maîtrisé.

C'est lors des instanciations de cette « compétence » stabilisée, telle que postulée en théorie dans les modèles d'inspiration chomskyenne, qu'on peut constater des erreurs de « performance » en cas d'aphasie, c'est-à-dire, des erreurs d'utilisation effective du langage : un patient qui présente un trouble sélectif de l'expression peut ainsi avoir préservé des connaissances intériorisées intactes (la compétence en langue) mais produire des erreurs de manière répétée et systématique en parole (la performance psycholinguistique). Autrement dit, si ce patient a conservé l'intuition de la qualité des énoncés, ce sont les mécanismes de mise en mots eux-mêmes qui sont brouillés.

Un jour, un directeur d'école primaire devenu aphasique suite à un accident vasculaire cérébral a montré, lors de tests, qu'il avait conservé une parfaite intuition linguistique en conjugaison, alors que son trouble ne lui permettait plus de former correctement un verbe au passé composé. Il savait reconnaître le passé composé, connaissait sa règle de formation, mais malgré cela, il n'avait plus la possibilité de l'utiliser simplement, tout en étant capable de détecter ses propres erreurs. Un tel cas peut ainsi illustrer la distinction théorique qu'on établit classiquement entre « compétence » et « performance », sans pour autant négliger le fait que d'autres capacités cognitives comme l'attention, le contrôle audio-phonatoire ou la mémoire, puissent aussi bien intervenir et être prises en compte pour expliquer ce type de comportement.

Langage et cerveau

Le domaine d'étude des rapports entre cerveau et langage, la neurolinguistique, s'est constitué sous l'impulsion des travaux

pionniers de Paul Broca[3]. D'après le comportement verbal d'un patient ayant souffert d'une lésion cérébrale qui l'a rendu « aphémique », Broca avançait l'hypothèse d'une aire spécialisée pour le langage et située dans le « lobe frontal de l'hémisphère gauche ». Cela se passait dans les années 1860. L'« aire de Broca » ainsi isolée fut réputée dès lors jouer un rôle primordial pour la gestion du langage. Un siècle et demi de recherches plus tard, relancées par le développement des sciences du langage et les nouvelles techniques d'exploration du cerveau in vivo, les recherches ont permis de caractériser le rôle de l'aire de Broca plus finement.

Ainsi, récemment, d'après une étude des circuits d'activation neuronale de cette aire corticale, on a pu mettre en évidence une succession d'étapes de traitement du langage caractéristique pour la production du langage[4] (voir encadré et schéma ci-dessous). Ces recherches récentes nous montrent que l'aire de Broca est dédiée à différents processus de traitement correspondant aux divers niveaux de représentations déjà postulés en linguistique. Cela suggère qu'une théorie de l'organisation du langage et de son utilisation qui admet ces divers niveaux de représentation linguistique doit se trouver en adéquation avec un modèle psycholinguistique ou même neurobiologique, ceci en tenant compte du fonctionnement neuronal générant les traitements séquentiels et intégrés dédiés au langage.

Halima Sahraoui

3- P. Broca, « Perte de la Parole, Ramollissement Chronique et Destruction Partielle du Lobe Antérieur Gauche du Cerveau ». *Bulletins de la Société d'Anthropologie de Paris*, 2, 1861, 235-238.

4- P. Hagoort, W.J.M. Levelt, « The Speaking Brain », *Science 16*(326), 2009, 372-373. N.T. Sahin, S. Pinker, S.,Cash, D. Schomer, E. Halgren, « Sequential Processing of Lexical, Grammatical, and Phonological Information Within Broca's Area », *Science 16*(326), 2009, 445-449.

De l'idée à la parole : le cerveau parlant

Pour prononcer un mot isolé comme « chat » par exemple, le fait de le voir écrit ou de l'entendre va provoquer l'activation de concept lexical <chat> (« l'idée de chat » en quelque sorte, ce qui réfère au concept de « signifié » selon la théorie saussurienne du signe linguistique). L'activation de ce lexique mental déclenche en moins de 200 millisecondes (ms) une représentation formelle de ce concept : le « lemme » (c'est le mot « chat » sous une forme très abstraite) ; puis, à 320 ms, s'opère la récupération en mémoire des codes morphologiques (l'unité formelle associée à ce lemme). Une fois que le lemme est ainsi doté d'un « signifiant » (en termes saussuriens), s'applique ensuite (à 450 ms) un traitement phonologique consistant à récupérer les codes phonologiques correspondant à « ch » et « a » pour lancer ensuite la programmation motrice nécessaire à l'articulation du mot « chat ». De l'activation du concept à la récupération des codes phonologiques, il se passe donc environ 450 millisecondes. Le passage par chacune de ces étapes de traitement serait corrélé à l'activation neuronale de plusieurs circuits adjacents au sein même de l'aire de Broca ainsi « décomposée » en séquences. Ces circuits seraient dédiés à des traitements de natures spécifiques – lexicale, grammaticale et phonologique – s'opérant de manière sérielle, c'est-à-dire, les uns après les autres, au sein d'une même zone cérébrale formant une sorte de goulet d'étranglement.

H. S.

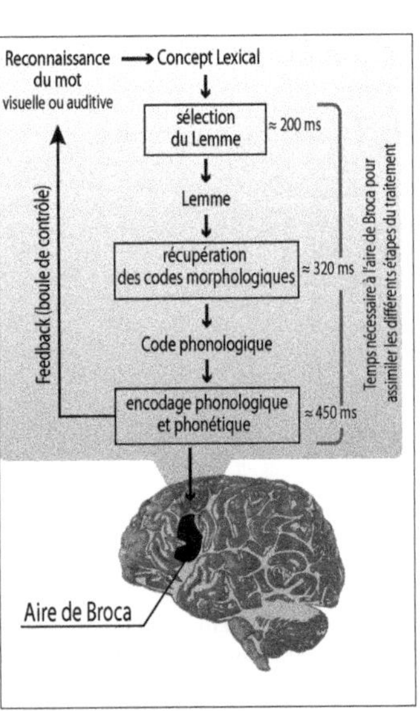

Schéma adapté de : Hagoort, P. & Levelt W.J.M. (2009). « The Speaking Brain », *Science* 16(326), 372-373.

Les principaux troubles du langage chez l'enfant

Parmi les troubles du langage les plus fréquents ou dont on parle le plus souvent, citons notamment :

• **La dyslexie** est sans aucun doute le trouble « dys » dont on entend le plus parler dans les médias. Trouble de l'apprentissage de la lecture, il a été reconnu comme un trouble du développement des acquisitions scolaires par l'Organisation mondiale de la santé (OMS) en 1991. Impossible d'évaluer la prévalence du trouble, tant elle varie d'une étude à l'autre, selon les critères de définition et la méthodologie utilisée. À en croire certains, 10 % des enfants seraient dyslexiques… Quand il lit, un enfant dyslexique va, par exemple, confondre certaines lettres de formes voisines (« m » et « n », « b » et « d ») ou proches phonétiquement (« s » et « ch », « u » et « ou »). Il peut aussi remplacer des consonnes dites constrictives (s, ch, j, z, f, v) par des consonnes occlusives (t, k, p, d, g) et les consonnes dites sonores (b, d, g, v, j, s) par des consonnes sourdes (p, t, k, f, ch, s), inverser l'ordre des lettres (« aréoport » pour « aéroport », « enveler » pour « enlever ») ou rajouter des sons ou en supprimer. Parfois la lecture est si syncopée et hachée qu'elle en devient incompréhensible.

• **Le bégaiement**, trouble fonctionnel de l'expression verbale qui affecterait 5 % des enfants dans le monde et, selon les pays, 75 % à 85 % de garçons, perturbe le rythme de la parole. Le sujet bègue va, malgré lui, prolonger involontairement certains sons, syllabes, mots ou phrases, en les répétant, hésitant, marquant des pauses fréquentes. Il n'existe à l'heure actuelle pas de consensus sur la définition du bégaiement. L'OMS le classe parmi les « troubles émotionnels ou comportementaux » qui, pour être avérés, doivent durer « pendant au moins trois mois ».

Pour la psychiatrie américaine, c'est un « trouble de la communication ». Le ministère français de la Santé le décrit, lui, comme un trouble qui affecte le rythme de la parole « en présence d'un interlocuteur » – ce qui laisse supposer que sans interlocuteur le bègue ne bégaierait pas, ou moins…

• **La dysphasie** est un trouble développemental qui se manifeste par une structuration lente, déviante et dysharmonieuse de la parole et du langage oral. En France, 2 % des enfants scolarisés, et trois fois plus de garçons que de filles seraient dysphasiques. À titre d'exemple, un enfant dysphasique peut, à l'âge de 18 mois, être incapable de dire « papa » ou « maman » et ne peut, à l'âge de 2 ans, faire des phrases de deux à quatre mots. À 3 ans, il n'y a guère que ses proches dont il peut se faire comprendre. La dysphasie peut être associée à d'autres troubles cognitifs (difficulté à créer des jeux symboliques) et des troubles sociaux (colère et frustration due à l'impossibilité de trouver le mot pour signifier la chose, réactions agressives, faible estime de soi).

• **La dysgraphie** est un trouble du langage écrit qui affecte le geste graphique et l'aspect de l'écriture. Il ne faut pas la confondre avec l'**agraphie** qui, elle, se traduit par une perte complète de la capacité à écrire. Elle apparaît le plus souvent à l'école primaire – mais peut aussi survenir plus tard, au moment de l'adolescence. Dans 30 à 40 % des cas, les enfants présentant un trouble des apprentissages ont une dysgraphie associée. Une autre étude, suggère même que ce taux pourrait grimper jusqu'à 67 % des cas. La dysgraphie est souvent combinée à une dyslexie, une dysorthographie voire, parfois, à un trouble déficitaire de l'attention (TDA/H), plus connu sous le nom d'hyperactivité. Est ainsi postulé que les enfants hyperactifs ont une plus faible mémoire de travail. Ce qui a un impact sur l'écriture : lettres mal placées à l'intérieur du mot, ajoutées ou omises.

• Les enfants atteints de **dysarthrie** acquise précoce rencontrent des problèmes liés au contrôle de l'articulation de la parole. Leur voix grave et éraillée, aux sons nasalisés, avec une respiration entrecoupée, rend toute communication difficile et perturbe profondément la qualité de vie de l'enfant (échec scolaire, rejet des camarades et de leurs parents, isolement social...).

Sarah Chiche

Trois questions à Stanislas Dehaene : Les neurones du langage

Quel est l'intérêt des propositions de la linguistique formelle pour les neuroscientifiques ?

En disséquant les composantes essentielles du langage – la récursion, la coréférence, le mouvement, la dépendance à longue distance… –, les travaux de linguistique nous amènent à rechercher dans le cerveau humain des structures propres à chacun de ces traits du langage. De nombreuses études des bases cérébrales de la syntaxe sont en cours, grandement facilitées par l'amélioration des techniques d'imagerie fonctionnelle.

Dans mon laboratoire, nous avons plusieurs programmes portant sur l'adulte et l'enfant. L'un des premiers résultats, obtenu par Ghislaine Dehaene-Lambertz en 2002, a prouvé qu'à deux mois et demi, les bébés montrent dans le cerveau un circuit sensible à leur langue maternelle, un réseau bien particulier de l'hémisphère gauche, très proche de celui de l'adulte, et qui inclut en particulier la région de Broca – la zone associée au langage – dans le cortex frontal inférieur gauche. Ce circuit est en partie spécifique et ne réagit pas de la même manière à d'autres *stimuli* tels que la musique.

L'un des piliers de la théorie de Chomsky, c'est que le langage humain s'appuie sur une compétence innée.
Peut-on vérifier cela ?

L'argument linguistique est à lui seul très convaincant : il rend compte du fait que les enfants ont une aptitude au langage qui est contrainte et va au-delà de ce que l'enfant peut acquérir par simple apprentissage au contact de l'adulte. L'organisation cérébrale que nous avons identifiée chez le bébé de deux mois constitue une source plausible de telles contraintes. Mais d'où provient-elle exactement ? Séparer l'inné de l'acquis est presque impossible car, dès le stade intra-utérin, le fœtus est exposé au langage maternel. À deux mois, les enfants que nous avions scannés possédaient donc déjà une certaine expérience de leur langue maternelle.

L'imagerie du cerveau adulte a récemment identifié un autre indice neurologique de la pertinence des règles de la grammaire universelle. Une expérience, publiée par Maria Cristina Musso, Andrea Moro et leurs collègues, consistait à faire apprendre à des personnes des règles linguistiques présentes dans certaines langues étrangères, et d'autres, artificielles, qui n'existent dans aucune langue. Les chercheurs ont montré que la région de Broca n'est activée que dans le premier cas. Pour les autres règles, qui n'appartiennent pas à la grammaire universelle, ce sont d'autres zones qui sont activées. Cela tend à confirmer que la grammaire des langues naturelles fait travailler des circuits bien particuliers du cerveau humain.

Il y a quelques années, on a vu les principes et les paramètres de grammaire universelle être ramenés à un petit nombre. Qu'en pensez-vous ?

Selon moi, ce programme minimaliste va dans le bon sens. L'abandon du concept d'un module linguistique préformé et doté de principes ultra-spécialisés, au profit de principes beaucoup plus généraux de récursion et d'interfaçage avec la motricité et les représentations sémantiques, facilite le dialogue des linguistes avec les neurosciences cognitives. Cela nous donne une petite liste de principes dont il devient plausible de rechercher les bases neurales. Dans le laboratoire que je dirige, nous avons plusieurs programmes en cours. Christophe Pallier, par exemple, mène une recherche sur les bases cérébrales de la structure en « constituants », l'une des briques de base de la linguistique formelle. Nous avons découvert des régions corticales qui codent pour l'enchâssement des constituants du langage, et nous les comparons actuellement avec celles qui s'intéressent au codage hiérarchique en musique, en mathématiques et dans le domaine de l'action. Il s'agit de voir si tous ces domaines, où l'on trouve des règles de récursion, partagent des circuits fonctionnels, ou au contraire, s'ils sont étanches, auquel cas il faudrait admettre que le langage fonctionne vraiment comme un module à part.

Propos recueillis par Nicolas Journet

LES MOTS, LES CHOSES…
ET NOUS

Pour le sens commun, le problème de la *référence* des signes, c'est-à-dire de la relation entre langage et réalité, ne se pose même pas. Un signe comme *cheval* exprime un concept qui lui préexiste (l'idée de « cheval »), lequel évoque à son tour un objet du monde (tel ou tel cheval). Cette conception simple, largement répandue – et qui, à l'examen, se révèle hautement redevable à la tradition philosophique –, suffit amplement à nos besoins de communication quotidiens. Elle soulève cependant des difficultés considérables dès que l'on tente de comprendre comment s'instaure la relation, plus mystérieuse qu'il n'y paraît d'abord, entre les signes du langage et le monde.

Dans la plupart des cas (les noms propres font évidemment exception), cette relation ne s'établit pas directement, mais par la médiation de généralités, appelées *idées générales* dans la tradition issue de la scolastique médiévale. Dire par exemple : *J'ai vu un cheval* implique de disposer notamment d'une *idée générale* de « cheval » permettant au locuteur de constituer une classe des chevaux. De même, l'adjectif *rouge* exprime une idée générale de « rouge », propriété commune à tels objets (tomate, coquelicot, goutte de sang, etc.) et à bien d'autres encore. Ainsi, l'emploi du moindre mot requiert de notre part une certaine aptitude à structurer notre expérience du monde.

Sur quoi cette structuration est-elle fondée ? Reflète-t-elle un ordre objectif de la réalité, dont les idées générales représenteraient en quelque sorte la structure ultime, comme le pensent les *réalistes* (encore appelés *objectivistes*), tels Platon, Aristote, Descartes ? Ou bien ces dernières n'ont-elles pas d'existence indépendamment des sujets humains, comme le pensent les *antiréalistes* ? Et, dans ce dernier cas, l'existence des idées générales ne repose-t-elle que sur l'usage linguistique, comme l'affirment les *nominalistes stricts* (Abélard, Hobbes, le second Condillac, Saussure...), ce qui rassemble des individus dans une même classe n'étant rien d'autre que l'existence d'un signe fédérateur (*cheval, rouge, homme*, etc.) ? Ou bien ne sont-elles que des entités mentales, constructions de notre esprit qui les élabore par abstraction à partir de son expérience, comme le pensent les *conceptualistes* tels que Locke ? Ou bien encore, option du *conceptualisme linguistique* défendu par le premier Condillac, les idées générales formées sur la base de l'expérience le sont-elles par un esprit humain aidé et guidé dans ses opérations par les signes linguistiques ? Lesquels, alors, ne seraient pas seulement les très modestes instruments d'une pensée prélinguistique...

Les apports actuels de la sémantique, des sciences cognitives et de la philosophie du langage permettent aujourd'hui de voir un peu plus clair dans ces débats anciens sur la référence en faisant mieux apparaître les points forts et les points faibles des différentes positions.

Signifier, c'est décrire un état du monde

La tradition réaliste conçoit la signification comme une propriété objective des énoncés par laquelle ils entrent en relation de correspondance avec une réalité pensée elle-même comme indépendante de la compréhension humaine.

La *sémantique formelle*, qui s'est développée depuis les années 1970, s'inscrit dans cette tradition et ambitionne de fonder une théorie scientifique de la signification. Elle part du principe qu'un énoncé n'a de sens que dans la mesure où, de par notre connaissance de la langue, nous sommes capables de lui faire correspondre des conditions de vérité qui permettront, face à une situation donnée, de le déclarer objectivement vrai ou faux. Toute la tâche de la sémantique consiste alors à élaborer des procédures permettant de traduire la signification des énoncés des langues naturelles dans un langage formel d'ordre logique, lequel, pour de nombreux auteurs, serait l'analogue d'un langage de la pensée... Ainsi, chez Montague, l'énoncé *Chaque homme*

 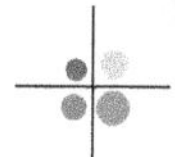

court recevra *in fine* la traduction[1] :

∀*x* [homme' (*x*) ® court'(*x*)]

Ce qui peut se lire: « pour tout x, si x est homme, alors x court ».

L'objectif à long terme de cette sémantique est d'expliciter, à l'aide de règles formalisées, tous les liens d'implication logique qu'un locuteur est susceptible d'établir en vertu de sa maîtrise d'une langue donnée.

Ce courant théorique s'expose toutefois à des objections notables. En premier lieu, une sémantique *véricondionnaliste*[2] ne permet pas de comprendre certaines propriétés essentielles des langues humaines, comme l'existence du sens figuré. Ainsi, pourquoi recourons-nous au même qualificatif dans les énoncés *Cette construction est solide* et *Cet argument est solide*, alors que les conditions d'application de l'adjectif *solide* d'une occurrence à l'autre n'ont manifestement rien de commun au regard de la réalité objective? De même, si la signification était un phénomène absolument objectif, comment les mots pourraient-ils changer de sens? D'ailleurs, la réduction de la signification des énoncés à leurs conditions de vérité pose des problèmes d'ordre... logique, ainsi que l'ont montré Willard Van Orman Quine et, surtout, Hilary Putnam[3]. Enfin, comme l'a observé le philosophe Michael Dummett[4], on ne peut connaître les

1- R. Thomason (éd.), *Formal Philosophy : Selected Papers of Richard Montague*, Yale University Press, 1974 ; cf. aussi M. Galmiche, *Sémantique linguistique et logique – Un exemple : la théorie de R. Montague*. Puf, 1991.

2- Les *sémantiques vériconditionnalistes* ne doivent pas être confondues avec la *logique vériconditionnelle*. Celle-ci s'intéresse aux *conditions de vérité* des propositions, c'est-à-dire aux conditions que les propositions doivent satisfaire pour être déclarées vraies ou fausses, mais elle ne met pas en jeu de postulat particulier sur la nature de la signification. Les sémanticiens vériconditionnalistes, en revanche, postulent que la signification linguistique est fondamentalement une propriété objective des énoncés, indépendante de la compréhension humaine (ou que l'on peut analyser sans dommage comme si elle l'était) et, – ceci expliquant cela selon eux –, entièrement réductible aux conditions de vérité de ces énoncés. La *vériconditionnalité* est perçue en somme par ces sémanticiens comme l'occasion de s'abstraire de la compréhension humaine et, par là même, comme le seul moyen véritable d'accéder à une analyse objective de la signification linguistique.

3- W. Van Orman Quine, *Le Mot et la Chose*, Flammarion, 1960; H. Putnam, *Raison, vérité et histoire*, Minuit, 1984.

4- M. Dummett, *Frege : Philosophy of language*, Duckworth, 1973 ; *The Seas of language*, Oxford University Press, 1993.

conditions sous lesquelles un énoncé est vrai ou faux sans connaître préalablement son sens... Les conditions de vérité d'un énoncé sont donc secondes par rapport à sa signification.

Ainsi, la sémantique formelle ne semble pas en mesure de fonder une théorie efficace de la signification et de la référence. La raison profonde en est que la relation du langage à la réalité ne peut se laisser enfermer dans une définition technique de la vérité, conçue comme la conservation de valeurs de vérité à travers les manipulations d'une syntaxe logique. La relation avec le réel passe nécessairement par la compréhension humaine. La sémantique formelle a cependant permis, et permettra encore sans doute, comme tout formalisme rigoureux, de mettre en évidence des données méconnues des langues humaines.

Signifier, c'est agir sur son interlocuteur

À l'opposé de la sémantique formelle, les théories *ascriptivistes* (de l'anglais *to ascribe*, « attribuer », par opposition à *to describe*, « décrire »), telle celle de Jean-Claude Anscombre et d'Oswald Ducrot[5], partent du point de vue que la capacité des phrases à décrire le monde n'est qu'une illusion. Le langage n'a pas pour but de représenter la réalité. Il sert fondamentalement à accomplir des actes. Dans cette perspective, les significations ne sont que des constructions linguistiques dont la valeur réside dans l'action exercée sur un interlocuteur. Ainsi, selon la *théorie de l'argumentation dans la langue* d'Anscombre et Ducrot, dire : *Cet hôtel est bon*, ce ne serait ni décrire l'hôtel désigné, ni le recommander, mais argumenter en faveur de cet hôtel, orienter le discours vers certains discours, et l'éloigner d'autres conclusions.

Cette thèse, si on la généralise, se heurte elle aussi à des objections sérieuses. Ainsi, tout francophone a sans doute le sentiment de pouvoir maîtriser la signification de l'énoncé *Pierre est venu,* quel qu'en soit le contexte, sans se sentir obligé d'imaginer les conclusions auxquelles on pourrait vouloir le conduire en prononçant une telle phrase. Inversement, plusieurs énoncés peuvent occasionnellement servir la même conclusion sans que

---

5- J.-C. Anscombre et O. Ducrot, *L'Argumentation dans la langue*, Mardaga, 1983.

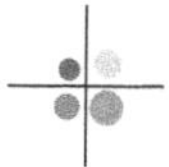

la signification de leurs unités paraisse se recouper : ainsi, que je dise *Il fait chaud* ou *Ça manque d'air*, la conclusion attendue pourra être la même (« Il faut ouvrir la fenêtre »). Il semble donc impossible de comprendre la valeur argumentative d'un énoncé sans avoir au préalable des idées assez précises sur la signification de cet énoncé et des mots qui le composent.

Pour dépasser ces objections, il nous paraît préférable de considérer l'action sur autrui et l'apport d'information comme deux modalités d'une fonction plus fondamentale du langage, la fonction de coordination et d'orientation mutuelle entre des interlocuteurs. La signification, dans ce cadre, ne s'épuise ni dans les modalités d'une action immédiate, ni dans la description d'un état du monde. Elle prend son sens sur le fond d'une action conjointe qui mobilise les catégories déposées dans la langue dont héritent les locuteurs, catégories déposées par les expériences collectives à travers l'histoire des interactions linguistiques.

En effet, même si les sujets poursuivent à travers leurs échanges linguistiques des fins qui leur sont propres, ils n'en sont pas moins engagés par leur interaction même dans une structure qui dépasse les actions individuelles. C'est la raison pour laquelle un locuteur disant *Cet hôtel est bon* peut considérer son énoncé comme une information tout en ayant conscience d'exprimer un jugement. Le prédicat *(être) bon* peut en effet être approuvé ou contesté, être jugé vrai ou faux, alors même qu'il ne renvoie pas à proprement parler à une propriété objective, mais en appelle essentiellement à une expérience subjective (les prestations de cet hôtel m'ont satisfait, ou telle personne dont je partage les goûts m'a exprimé sa satisfaction…), expérience positive que le locuteur présente comme susceptible d'être partagée par d'autres, et par ceux qui l'écoutent en particulier, pour autant que leurs attentes en matière d'hôtellerie soient comparables aux siennes.

La fonction référentielle du langage n'est donc pas une illusion, bien qu'elle ne soit qu'une dimension parmi d'autres de la fonction de coordination.

Ferdinand de Saussure ou l'arbitraire du signe

Le *nominalisme*, tel que défendu notamment par Ferdinand de Saussure, s'oppose au réalisme et, plus généralement, à *l'instrumentalisme linguistique* pour lequel les signes du langage seraient des outils créés en vue d'exprimer des réalités *préexistant* aux systèmes linguistiques (entités mentales ou entités objectives, selon la théorie de la signification retenue). Saussure invoque contre ces thèses l'expérience de la traduction et les leçons de la comparaison des langues : les langues, indiscutablement, ne « découpent » pas la réalité de la même manière. De plus, comme l'a montré la sémantique historique, l'histoire des significations obéit à sa logique propre, soustraite à la rationalité abstraite et à la volonté consciente des hommes. Ainsi, le mot latin signifiant « chose » (*rem*) a fini par exprimer en français, sous la forme *rien*, l'absence de toute chose... *Tuer* vient d'un mot latin signifiant « protéger » (*tutari*)... De telles évolutions paraissent en contradiction avec le bon sens le plus élémentaire.

Saussure et certains de ses continuateurs ont déduit de ces observations que les relations entre le langage et la réalité sont régies par la contingence, la structuration du monde opérée par les langues n'ayant d'autre fondement que les habitudes linguistiques. Il s'ensuit, pour ce courant théorique, que la signification d'un signe ne peut être valablement définie en termes positifs, à partir de ses relations avec la réalité. Elle ne peut l'être que par les relations d'opposition qu'il entretient avec les autres signes de la langue (relations qui déterminent ce que Saussure appelle sa *valeur*). Conséquence paradoxale : seule la totalité de la langue est désormais en mesure d'entrer en relation avec la réalité.

En dépit du renouvellement considérable apporté par Saussure dans les domaines formels de la linguistique, un nombre croissant de sémanticiens jugent insuffisante sa théorie de la signification. En refusant d'expliquer la capacité des signes à entrer en relation avec la réalité, en déniant tout contenu positif aux significations linguistiques, la théorie saussurienne rend en effet inintelligible notre capacité de traduire ou de reformuler nos messages. Elle rend également problématique la possibilité même d'un discours scientifique valide, et plus

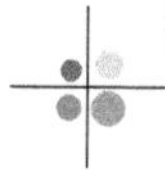

généralement, l'efficacité des actions humaines (puisque celles-ci passent constamment par le langage).

Saussure croyait devoir choisir entre deux solutions antagonistes : ou bien les significations reflètent la réalité objective, ou bien elles sont arbitraires. Il existait pourtant une autre solution, qui consiste à rechercher la clé de l'organisation sémantique des langues dans l'expérience humaine elle-même.

Si Saussure n'a pas envisagé cette possibilité, c'est qu'il ne voulait traiter l'évolution des langues ni comme l'effet de volontés individuelles (il savait bien que les individus, considérés isolément, n'ont guère de pouvoir sur l'évolution de leur langue), ni comme l'effet de la volonté de sujets supra-individuels (l'âme d'un peuple, la Raison en marche, les desseins de la Providence...). On peut toutefois expliquer un relatif ajustement du langage sur l'expérience humaine sans invoquer une intentionnalité œuvrant en vue d'un tel changement. Une étude minutieuse des évolutions sémantiques conduit en effet à estimer que, loin de se produire au hasard, les nouvelles significations sont essentiellement conditionnées, à chaque moment de l'histoire de la langue, par les relations entre le système linguistique et les expériences collectives partagées au sein de la communauté linguistique. En d'autres termes, ce sont les circonstances de l'expérience collective qui font émerger, dans les différents groupes constituant la communauté linguistique, les nouvelles valeurs des signes à travers les échanges linguistiques en situation et, tout particulièrement, à travers l'apprentissage linguistique des jeunes locuteurs[6]. L'acquisition d'une langue est en effet un puissant catalyseur de l'évolution sémantique, chaque individu devant, pour s'approprier sa langue maternelle, reconstituer à son propre usage les significations assignées aux unités linguistiques dans son groupe d'appartenance, à partir de son expérience du monde et de son exposition aux discours d'autrui, ainsi que du succès ou de l'échec de ses propres productions linguistiques. Ce travail d'adaptation de chacun à sa langue conduit inévitablement à « mettre en cohérence », dans une certaine mesure du moins, la signification des unités avec les expériences collectives. On peut ainsi comprendre que

6- V. Nyckees, *La Sémantique*, Belin, 1998.

les significations linguistiques s'ajustent sur les expériences des groupes humains, sans faire intervenir, à aucun moment, une quelconque volonté, individuelle ou supra-individuelle, d'optimisation des ressources offertes par la langue.

La question des catégories sémantiques

La *théorie du prototype* est une théorie récente qui s'oppose radicalement à l'objectivisme de la sémantique formelle. Son originalité est de rejeter le modèle traditionnel de l'appartenance catégorielle, appelé communément *modèle des conditions nécessaires et suffisantes* (CNS).

Selon le modèle des CNS, pour qu'un élément de l'expérience relève d'une catégorie conceptuelle (ou, si l'on préfère, sémantique), il faut et il suffit qu'il partage un certain nombre de traits avec l'ensemble des membres de cette catégorie : par exemple, tout membre de la catégorie « chaise » présente, au minimum, un pied et un dossier, tout fauteuil aurait des accoudoirs… De l'avis de ses adversaires « prototypistes », un tel modèle se heurte cependant à de sérieux contre-exemples. Ainsi, il n'existerait pas de propriété spécifique de la catégorie « oiseau » qui soit partagée par tous les membres de cette catégorie. En particulier, tous les oiseaux ne volent pas, témoins les autruches et les manchots. Les prototypistes substituent alors aux CNS un modèle fondé sur le critère de la ressemblance, qui a connu deux versions successives[7] : ressemblance avec un prototype central (généralement assimilé au moineau s'agissant de la catégorie « oiseau »), pour la version dite *standard* ; ressemblance avec un exemplaire quelconque de la catégorie (« ressemblance de famille »), pour la version dite *étendue*.

Le critère de la ressemblance ne peut suffire toutefois à fonder la catégorisation. Ainsi, tout ce qui ressemble d'une certaine façon à un oiseau n'est pas forcément un oiseau. Par exemple, bien que la chauve-souris soit un animal volant, les zoologues la rangent depuis plusieurs siècles parmi les mammifères. Or, les prototypistes ne nous expliquent jamais pourquoi tel élément

7- G. Kleiber, *La Sémantique du prototype*, Puf, 1990.

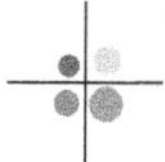

présentant un ensemble de traits bien représentés dans une catégorie ne sera pas nécessairement intégré dans cette catégorie.

La situation s'aggrave encore avec la version étendue, puisque le concept de ressemblance de famille n'implique même plus une ressemblance véritable entre *tous* les membres de la catégorie. Les prototypistes répondront peut-être qu'il n'est pas nécessaire de savoir expliciter une règle d'usage pour faire usage d'une catégorie : il suffirait en l'occurrence de se fier à l'intuition, tous les hommes étant présumés partager le même système cognitif. Mais un tel argument ne serait recevable que si la théorie permettait réellement de prédire l'appartenance catégorielle d'un élément pour des sujets humains, ce qui n'est nullement le cas.

Il semble donc qu'on ne puisse se passer des conditions nécessaires et suffisantes, qui seules permettent d'identifier une catégorie sémantique sur des bases rigoureuses. On n'en reviendra pas pour autant à la version traditionnelle, objectiviste, du modèle des CNS. Contrairement à ce qu'affirment les prototypistes, rien n'impose en effet que les conditions nécessaires et suffisantes que doivent satisfaire les exemplaires d'une catégorie soient des traits *objectifs*, absolument indépendants de la compréhension humaine. Ainsi s'explique d'ailleurs que des définitions concurrentes, également légitimes dans leurs ordres respectifs, puissent coexister pour une même dénomination : on observe par exemple des décalages entre la catégorie savante « oiseau » (laquelle est, en réalité, précisément et rigoureusement définie en termes de CNS par les zoologues, sur la base de la présence de plumes chez l'animal adulte) et les représentations sémantiques du mot *oiseau* mises en œuvre par des usagers qui ne maîtrisent pas une telle définition savante, représentations sélectionnant semble-t-il des animaux volants non insectes et excluant, ou non, selon les locuteurs, les mammifères et/ou les chauves-souris.

Le modèle des CNS n'est donc aucunement lié par essence à l'objectivisme. Encore convient-il de le dégager des différentes attaches objectivistes qui en compromettaient l'efficacité. En particulier – point décisif –, les CNS ne sont pas nécessairement, de notre point de vue, des conditions *effectivement* remplies par les éléments du monde de l'expérience : ce sont seulement des conditions dont les usagers, au moment considéré, *croient* qu'elles le sont. Elles sont donc *révisables* en fonction de l'expérience. Ainsi les zoologues du XIXe siècle, découvrant des oiseaux présentant toutes les caractéristiques des cygnes à l'exception de la blancheur, les ont néanmoins considérés comme des cygnes pour des raisons internes à leur discipline, et la blancheur a cessé aussitôt de constituer un trait définitoire de la catégorie des cygnes dans leur classement pour devenir un trait par défaut, très probable mais non nécessaire. Les catégories sont donc toujours fonction de l'état des connaissances et des expériences ainsi que de leur diffusion dans la culture.

Autre point notable : dans le modèle révisé des CNS que nous proposons, les catégories sont *normalisées* et les CNS s'entendent *par défaut*. Ainsi, – à supposer que la blancheur fasse partie des CNS qui la caractérisent –, la neige est ordinairement pensée comme blanche au-delà des événements qui pourraient lui donner une autre couleur, événements considérés alors comme des accidents. On peut, en d'autres termes, estimer que la neige est normalement blanche tout en reconnaissant qu'elle est souvent grise et sale. La blancheur apparaît ainsi comme une propriété normalisée de la neige : si elle fait défaut, son absence sera communément imputée à l'interférence d'autres facteurs.

Ajoutons enfin que les représentations sémantiques semblent prendre une forme comparable à celle des connaissances d'experts. Elles constituent des ensembles complexes de conditions, mobilisant une expérience qui peut se révéler extrêmement étendue. Tout locuteur est en un certain sens un expert et sa maîtrise des significations est inséparable de sa connaissance du monde. Cette sorte de connaissance dépasse de loin l'aptitude strictement individuelle à former des images mentales. Elle met en œuvre une mémoire collective qui se dépose dans la langue et les productions langagières et se ressaisit à travers l'apprentissage linguistique, lequel se poursuit d'une certaine façon tout au long de la vie.

Ainsi, tous les chemins de la référence semblent devoir nous reconduire au conceptualisme linguistique. Le langage, en effet, n'est pas seulement un instrument d'expression ou un ordre de

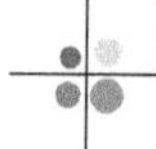

phénomènes spécifique. C'est un mode de savoir sur le monde et sur nous-mêmes incessamment remodelé par la succession des générations.

Vincent Nyckees

D'OÙ VIENT LE SENS DES MOTS ?

Tout le monde sait qu'un mot peut avoir des interprétations différentes et être employé pour désigner des choses différentes : le mot « souris » désigne aussi bien un petit mammifère qu'un dispositif de manipulation de l'ordinateur. Mais le fait qu'un même mot présente des interprétations variables ne signifie pas pour autant qu'il s'agit de sens différents, sauf à certaines conditions précises[1].

L'assimilation souvent faite entre variation interprétative et variation sémantique est à l'origine de nombreuses équivoques. Il faut donc démêler ce qui est réellement variation sémantique (ce qui a trait au sens) et ce qui ne l'est pas.

Premièrement, il faut écarter les variations interprétatives personnelles ou subjectives. Même si Jacques et François ont une conception différente de la vertu, ce n'est pas pour autant que l'on dira que le mot « vertu » a des sens différents. Pour la même raison, il faut écarter les variations historiques et géographiques, puisqu'elles n'appartiennent pas à un même ensemble de locuteurs : le sens du mot « courage » varie peu aujourd'hui, mais il a changé depuis le XVIIe siècle.

En deuxième lieu, il faut bien distinguer les variations qui sont le lot de la construction dans laquelle s'intègre le mot, et celles qui sont propres au mot lui-même. Ce n'est pas parce que l'on interprète « Paul a mangé du lapin » comme « Paul a mangé de la viande de lapin » et « un lapin s'est échappé » comme « un lapin (animal) s'est échappé » qu'il faut assigner à lapin une variation entre « lapin-viande » et « lapin-animal ». La différence d'interprétation porte sur l'ensemble du groupe nominal

1- On peut lire sur ces sujets : G. Kleiber, « Petit essai pour montrer que la polysémie n'est pas un… sens interdit », *Cahiers de lexicologie*, n° 96, 2010.

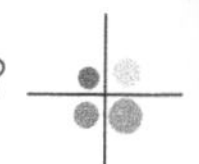

(du lapin ou un lapin). Elle n'implique donc ni un changement d'interprétation, ni un changement de sens du mot « lapin ».

Pourquoi « poser un lapin » ?

Troisièmement, on ne doit pas parler de variation interprétative pour un mot qui se trouve employé dans une expression figée. Même s'il est intéressant de chercher ce qui a motivé l'emploi de « lapin » dans l'expression « poser un lapin », il est erroné de lui reconnaître une interprétation différente de celle qu'il a lorsqu'il est sorti de ce contexte, puisqu'il ne fonctionne pas comme une unité lexicale autonome.

Quatrième cas, celui d'une formulation telle qu'elle n'entraîne généralement la sélection que d'un aspect ou d'une partie du sujet ou de l'objet. Dans « ce livre pèse trois kilos », c'est l'objet physique qui est mis en avant, alors que dans « ce livre a influencé Paul », c'est son contenu qui est désigné. Est-ce que pour autant le mot « livre » change d'interprétation, voire de sens ? Non, il s'agit simplement d'une figure métonymique[2], en l'occurrence une synecdoque[3] qui stipule que certaines caractéristiques de certaines parties peuvent caractériser le tout.

En cinquième lieu, certains changements interprétatifs ne sont pas propres au mot concerné, mais à une famille de mots. On parle alors de polysémies systématiques (vrai dans tous les cas) ou de polysémies régulières (vrai dans beaucoup de cas). N'importe quel nom de lieu peut servir pour renvoyer à ceux qui s'y trouvent ou y habitent, comme dans « la rue est en émoi », « la ville est en émoi », « le pays est en émoi ». Il faut donc assigner non pas à « rue » ou « ville » en particulier la variation observée, mais au paradigme des noms de lieux en général.

Le sixième et dernier cas concerne celui de l'indétermination sémantique, propre à toutes les langues naturelles. Le nom « enfant » dans « Paul n'a qu'un enfant » est ouvert à deux lectures : celle où l'enfant est un garçon et celle où c'est une fille. Il ne s'agit pourtant pas de deux sens différents, comme le prouve

2- Mot ou expression dont le sens est formé par contiguïté, contact ou inclusion (ex. : Il a acheté un Van Gogh, toute la ville en parle).

3- Genre de métonymie où la partie désigne le tout (ex. : une voile s'approchait du port).

la possibilité d'avoir pour « enfant » une interprétation qui coiffe les deux lectures : « Paul aime les enfants » (garçons et filles).

Lorsque variation interprétative et variation du sens convergent

Quelles sont les conditions pour que la variation interprétative associée à un mot puisse être considérée comme étant une variation du sens de ce mot ?

Il faut, en premier lieu, que les interprétations différentes relevées ne puissent pas être réduites à une seule. Si l'on compare le cas de « souris-animal » et « souris d'ordinateur » à celui de « enfant-garçon » et « enfant-fille », ils ne sont pas identiques. La phrase « Paul n'a pas d'enfant » sera fausse s'il est vrai que « Paul a un garçon » ou que « Paul a une fille ». En revanche, « Paul n'a pas de souris » n'est pas faux si l'une des deux lectures « Paul a une souris-animal » ou « Paul a une souris d'ordinateur » est vraie, parce que la valeur de vérité de chacune de ces propositions est indépendante de celle de l'autre. Les deux lectures de souris ne sont pas unifiables sémantiquement, comme le sont celles d'enfant. Il y a bien une compétition : une lecture doit l'emporter sur l'autre, et l'on ne peut pas trouver un sens général qui engloberait les deux lectures.

La seconde condition est que les différentes lectures soient stables et suffisamment robustes pour survivre au détachement du contexte qui les a fait naître et qu'elles acquièrent ainsi une existence hors discours, c'est-à-dire au niveau de l'unité lexicale elle-même. Se trouvent exclus en conséquence tous les emplois figurés circonstanciels (les métaphores[4] vives et autres figures de style), qui ne sont pas stabilisés au niveau de l'unité lexicale et, de façon plus générale, tous les phénomènes d'interprétation multiple qui ne se révèlent pas autonomes. Le nom « omelette », par exemple, ne peut désigner celui qui a commandé ce plat (ex. : « l'omelette est partie sans payer ») que dans le contexte discursif (ici, un restaurant) qui justifie la métonymie.

4- Mot ou expression dont le sens repose sur une analogie (ex. : il m'a semblé froissé par tes propos).

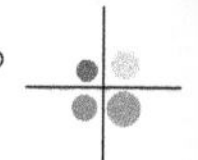

Si les variations interprétatives d'un mot répondent à ces deux conditions nécessaires et suffisantes, alors et alors seulement on peut parler de variation du sens de ce mot. L'histoire n'est toutefois terminée qu'à moitié, puisqu'une autre commence, celle des relations entre les divers sens relevés. Si le sujet ne perçoit aucune relation entre eux, on a affaire à une homonymie (par exemple : « grève-bord de l'eau » et « grève-interruption volontaire du travail »). Si l'on perçoit une ou plusieurs relations (par exemple : l'analogie de taille et de forme des « souris d'ordinateur » et de la « souris-animal »), c'est à la polysémie que l'on a affaire. Une nouvelle tâche s'impose : celle de décrire les différents types de relations (métaphores, métonymies, etc.) et leur mode d'émergence.

Georges Kleiber

À QUOI SERVENT LES MÉTAPHORES ?

Voici un exemple de métaphore que nous sommes tous capables d'utiliser et de comprendre. Une femme dit à une amie désespérée : « Un divorce, c'est parfois l'occasion de repartir du bon pied. » Sans même s'expliquer comment, tout auditeur possède ce minimum d'intuition qui lui permet de saisir que, dans cette phrase, il n'est pas question d'apprendre à marcher au pas, mais de réussir sa vie personnelle et sentimentale. Nous sommes généralement capables d'identifier le fonctionnement non littéral d'un énoncé et d'interpréter un sens figuré pertinent.

Cette capacité à s'exprimer et à se faire comprendre par métaphores a suscité depuis longtemps l'intérêt des philosophes. Les uns, comme Aristote (*Poétique* et *Rhétorique*) ou plus récemment Paul Ricœur (*La Métaphore vive*, 1975), ont souligné son pouvoir esthétique, argumentatif, créatif et heuristique. D'autres ont davantage dénoncé son manque de rigueur et son incompatibilité avec le discours savant : c'est le cas de John Locke (*Essai sur l'entendement humain*, 1690), et de Gaston Bachelard, pourtant théoricien par excellence de la créativité imaginative, dans *La Formation de l'esprit scientifique* (1938).

Les linguistes du XXe siècle ont hérité de ces deux visions. La métaphore a été reconnue à la fois comme un objet incontournable de la théorie du sens et comme un élément perturbateur des fonctionnements réguliers de la langue. Dans ce dernier cas, l'étude de la métaphore est laissée aux disciplines annexes de la linguistique, comme la pragmatique, la stylistique et l'analyse du discours. Puis, dans les années 1980, la métaphore a fait l'objet d'une analyse renouvelée, connue sous le nom de « théorie conceptuelle de la métaphore » (TCM), proposée par deux cher-

cheurs américains, le linguiste George Lakoff et le philosophe Mark Johnson. Leur livre, *Les Métaphores dans la vie quotidienne* (1980), s'inscrit dans une perspective cognitiviste et postule que nos catégories sémantiques sont déterminées par nos perceptions, conceptualisations et représentations de l'expérience. Selon la TCM, les énoncés métaphoriques ne sont que la partie visible d'un imaginaire cognitif plus profond.

Prenons un exemple. Si je dis « ces affirmations sont indéfendables » ou bien « il a attaqué chaque point faible de mon argumentation », ces expressions montrent que l'expérience de la discussion est couramment décrite en termes guerriers. La guerre, domaine d'expérience sans doute plus tangible et organisé de façon cohérente, est ainsi transposée à un autre domaine d'expérience, celui du débat. Cette structuration est une *Gestalt* (ou schéma-image). « Nous comprenons l'expérience de manière métaphorique quand nous utilisons une *Gestalt* appartenant à un domaine d'expérience pour structurer notre expérience dans un autre domaine », écrivent G. Lakoff et M. Johnson. La *Gestalt* guerrière peut d'ailleurs être projetée dans divers domaines d'expérience : le débat, certes, mais aussi le jeu, le sport, la finance, les relations conjugales, etc.

L'abstrait saisi par le concret

Ce fonctionnement métaphorique est en fait omniprésent dans notre discours quotidien : on dira « ils ont fait un long chemin ensemble », « cette relation de mène nulle part » (*Gestalt* = voyage, appliquée à l'amour), ou « j'ai tenté ma chance », « il a toutes les cartes en mains » (*Gestalt* = jeu de hasard, appliquée à la vie), ou encore « Darwin a posé les fondations de la théorie de l'évolution », « son raisonnement s'est écroulé » (*Gestalt* = bâtiment, appliquée au domaine intellectuel), etc. Il existe ainsi des dizaines de métaphores conceptuelles, permettant de se saisir des notions abstraites en les rapportant à des objets plus concrets.

Certaines métaphores sont fondamentales, comme celles qui portent sur l'orientation verticale. On dira « ses revenus montent », ou bien « si vous avez chaud, baissez le chauffage » (le plus est en haut, le moins est en bas). On dira aussi « il a une position élevée », ou « il est en bas de l'échelle sociale » (l'élite est en haut, la masse est en bas). On dira encore « c'est un homme aux sentiments élevés », ou bien « il est tombé dans un abîme de dépravation » (la vertu est en haut, le vice est en bas). Si on dit « c'est un débat d'un haut niveau », ou bien « ce film sombre dans le pathos », c'est que le rationnel est en haut, l'affectif en bas. Et puis encore « je suis aux anges » ou « j'ai le moral dans les chaussettes », c'est que le mieux est en haut, le pire en bas. L'expérience physique universelle de la gravitation ainsi que les expériences physiques liées à la station couchée ou debout font qu'il est facile de projeter une *Gestalt* haut/bas dans quantité de domaines d'expérience.

Les métaphores ontologiques, par exemple celle du contenant, s'appliquent, entre autres, aux états psychologiques : pour « il a plongé dans la dépression », la dépression est structurée par une métaphore d'orientation (la dépression est en bas), mais la dépression est également vue comme un contenant accueillant un objet. La métaphore de l'objet en mouvement est également très structurante. Pour la représentation du temps, deux orientations sont possibles : un objet se déplaçant du présent vers le futur (« le temps n'avance pas aujourd'hui ») ou du futur vers le présent (« beaucoup de gens passent leur vie à attendre des moments meilleurs qui ne viennent jamais »).

Les métaphores structurent donc nos propos quotidiens, mais elles fournissent aussi des énoncés plus originaux. Ainsi, la phrase de Jean Giraudoux « la Terre est ronde pour ceux qui s'aiment » ne peut se comprendre qu'en mobilisant la projection du domaine du voyage sur celui de l'amour. Des inférences sont alors possibles : « les gens qui s'aiment finissent par se rencontrer ; l'amour est un voyage qui ne finit pas », etc.

Depuis trente ans, la littérature sur la métaphore conceptuelle n'a cessé de se développer. Des domaines différents comme les mathématiques, la philosophie, la politique ont été analysés sous cet angle. Selon Gilles Fauconnier et Mark Turner, la métaphore n'est qu'un phénomène parmi d'autres, qui illustre notre capacité à compresser des « espaces mentaux » (des représentations) dans des espaces « intégrants » dans lesquels sont

créées des structures originales[1]. Soit cet exemple, emprunté à M. Turner. Un philosophe contemporain dit dans un séminaire : « Je soutiens que la raison est une faculté évolutive. Kant est en désaccord avec moi sur ce point. Il rétorque, dans *Critique de la raison pure*, que seules les idées innées sont puissantes. » Deux espaces, celui représentant le professeur, celui représentant Kant, sont partiellement projetés dans un troisième (espace intégrant), dans lequel les deux philosophes conversent ensemble, et où un dialogue fictif possède paradoxalement une réalité. Cette faculté de compresser deux espaces dans un seul pour créer un sens nouveau serait le résultat d'une longue évolution cognitive.

Loin de n'être qu'un simple jeu de langue ou une figure de style, la mécanique métaphorique repose sur notre aptitude à mettre en relation les uns avec les autres des domaines d'expérience très différents. C'est un moyen extrêmement performant de donner de la cohérence au monde qui nous entoure, que l'esprit humain a su développer au cours de son évolution.

Dominique Legallois

1- G. Fauconnier, M. Turner, *The Way We Think. Conceptual blending and the mind's hidden complexities*, Basic Books, 2002. Conférences de Mark Turner : « L'imagination et le cerveau », « L'invention du sens », « La perspicacité et la mémoire » et « La neuroscience cognitive de la créativité », conférences données au Collège de France les 6, 13, 20 et 27 juin 2000. Disponibles sur http://markturner.org/cdf.html

L'analogie au cœur de la pensée
Trois questions à
Douglas Hofstadter et Emmanuel Sander

Qu'entendez-vous par analogie ? Pouvez-vous préciser son champ d'extension ?

Il s'agit d'une mise en relation mentale entre deux situations, fondée sur des ressemblances perçues entre elles : faire une analogie, c'est percevoir « le même » au-delà des différences.

L'analogie a longtemps été considérée comme un mécanisme mental très spécifique. Pour Aristote, c'était une forme de raisonnement parmi d'autres. Dans les sciences cognitives aujourd'hui, l'analogie est encore étudiée comme un sous-domaine du raisonnement. L'analogie serait une province éloignée de la pensée, une sorte de « Finistère de la pensée » (encore une analogie !). Or, nous défendons l'idée[1] que l'analogie est au contraire omniprésente dans toutes les sphères de la cognition : la perception, la mémoire, le langage, l'apprentissage, etc. Elle établit des liens, des ponts, des routes, des chemins entre nos concepts et notre environnement, entre notre passé et notre présent. Elle est donc présente partout.

Nous ne faisons pas des analogies seulement de temps en temps, chaque semaine ou chaque jour, mais plusieurs fois par seconde, car en premier lieu l'analogie sert à « catégoriser », c'est-à-dire à construire puis évoquer des concepts qui nous servent à penser le réel. Les catégories de notre lexique mental ne sont pas des petites boîtes bien rangées avec des étiquettes comme « chat », « poule », « automobile », « outils », « manger », mais sont au contraire des structures mentales complexes formées par le jeu infini des correspondances. Prenons le mot « maman » : pour un enfant, ce mot sert d'abord à désigner sa propre maman, puis cet enfant l'étend aux autres enfants autour qui ont eux aussi des « mamans », par analogie avec la sienne. Puis il admettra que la vache, la poule ou la chatte peuvent aussi être des mamans, même si, superficiellement, elles ne ressemblent pas à la sienne. C'est la notion de « maternité » qui se construit. Plus tard, le mot « mère » deviendra une catégorie générale qui va s'appliquer à d'autres situations : la mère patrie, la mère de toutes les batailles… Les cultures associent provisoirement des étiquettes et des significations à des catégories mentales ; sur le plan individuel, les catégories d'une personne se raffinent tout au long de sa vie à travers des analogies incessantes, mettant ses

1- Ce texte est extrait d'un entretien accordé à *Sciences Humaines* et paru dans son intégralité dans le livre *Le Cerveau et la Pensée* (J.-F. Dortier, dir.) éd. sciences humaines, 2014. D. Hofstadter et E. Sander sont les auteurs du livre *L'Analogie, cœur de la pensée*, Odile Jacob, 2013.

catégories en phase avec celles de ses contemporains, rendant ainsi possible une communication pas trop décalée.

Les analogies sont-elles le propre du langage ?

Pas uniquement. Certes, les analogies sont omniprésentes dans le langage. Elles guident le choix des mots, mais aussi celui des expressions courantes. Par exemple, une expression comme « talon d'Achille » repose sur l'existence d'une catégorie mentale regroupant des cas, analogues par ce fait, de grave faiblesse qui risque de mener à la perte, qui peut être ensuite transférée à de nombreux domaines.

Toutefois, hors du langage, les analogies sont légion. Par exemple, quand on bricole, des analogies en acte sont à la source des usages détournés d'objets : je peux prendre une pierre à la place d'un marteau, un livre ou une planche de bois pour caler un meuble, etc. Ces analogies fonctionnelles ne reposent guère sur le langage, pas plus que celles qui nous font confondre le sucre et le sel ou un gel coiffant avec un gel à raser, ou que celles qui président à la plupart des évocations de souvenirs.

Dans le domaine scientifique, nous montrons aussi que des analogies profondes mais non langagières ont servi dans l'histoire des sciences à établir des parallèles entre des domaines scientifiques éloignés et ainsi à donner lieu à de nouvelles théories. Ce fut notamment le cas pour Albert Einstein, qui s'est appuyé sur l'analogie entre gaz parfait et corps noir pour aboutir à une compréhension radicalement nouvelle de la lumière et, de là, pour construire une théorie corpusculaire. Einstein a aussi forgé la relativité (d'abord restreinte, ensuite générale) par l'élaboration d'analogies physiques jusque-là inédites. Sa célèbre équation $E=mc^2$ doit aussi son existence à des analogies einsteiniennes, mais encore plus importante est son interprétation, qu'Einstein lui-même a mis deux ans à élaborer complètement, grâce encore une fois à une subtile série d'analogies esquissées dans notre dernier chapitre. Nous y montrons aussi que dans les disciplines les plus abstraites, comme les mathématiques, domaine où règne la logique, la construction des nombres ainsi que les raisonnements logiques reposent en fait sur des successions d'analogies.

L'analogie serait donc le mécanisme par lequel on construit ses concepts ?

Absolument ; prenons le cas d'un avion. Pour le définir, on pourrait dire qu'il vole (comme un oiseau), qu'il transporte beaucoup de gens (comme un bateau), qu'il est un objet technique compliqué (comme un ordinateur), qu'il est piloté (comme une voiture), etc. Chacun de ses traits peut renvoyer à de multiples comparaisons. L'analogie est au départ le mécanisme mental qui sert à forger des concepts et donc à représenter le monde. À partir de là, l'analogie sert à interpréter les situations nouvelles, à affronter l'inconnu.

Par exemple, si je voyage dans un pays que je ne connais pas, je vais regarder comment les gens se saluent. Ici on se serre la main ou on s'embrasse. Au Japon, on s'incline avant de se serrer la main. Aux États-Unis, on s'étreint au lieu de se faire la bise. Un étranger aura vite compris à partir de situations qu'il connaît comment les gens se saluent parce qu'il saura repérer l'analogie avec ses propres modes de salutation. C'est ainsi que peu à peu l'on dompte l'inconnu par analogie avec le connu. Au passage, c'est encore la preuve que l'analogie ne passe pas préférentiellement par les mots, mais par les situations.

Propos recueillis par Jean-François Dortier

APPRENTISSAGES ET USAGES

- Pourquoi les langues évoluent-elles ? (Jacques François)
- L'évolution de la langue française (encadré)
- Le langage est vivant. Trois questions à Sylvain Auroux
- La disparition des langues (Karine Philippe)
- Faut-il tout faire pour sauver les langues ? (encadré)
- Comment l'enfant acquiert-il le langage ? Rencontre avec Michèle Kail
- Le bilinguisme est-il un atout ? (Maria Kihlstedt)
- Les tout-petits et le bilinguisme (encadré)
- L'art de convaincre (Emmanuelle Danblon)
- La rhétorique : argumentation et discours (encadré)
- Pourquoi et comment naissent les mots nouveaux ? (Jean-François Sablayrolles)
- Et si les SMS enrichissaient la langue ? (Héloise Lhérété)

POURQUOI LES LANGUES ÉVOLUENT-ELLES ?

Pourquoi les langues évoluent-elles ? La question présuppose que les langues évoluent. Pourtant l'intuition des francophones pourrait aller dans le sens inverse : la grammaire du français ne semble pas avoir connu d'altération depuis plusieurs siècles. L'évolution ne paraît concerner que les mots du lexique. Et encore ! Face à certains néologismes, on peut s'interroger sur leur conservation, certains peuvent se révéler éphémères.

Dans le cas du français, le facteur essentiel de stabilité linguistique a été la centralisation politique et linguistique de l'Ancien Régime, renforcée sous la Révolution par le jacobinisme (l'abbé Grégoire avait soumis à la Constituante un projet d'« anéantissement » des patois de France). Jusqu'alors, l'unification du français ne concernait qu'une élite lettrée, mais avec la victoire des laïcs sur les cléricaux dans la querelle de l'instruction publique sous la IIIe République naissante, c'est toute la nation qui a été formée à l'usage d'un français normalisé, ce qui a figé la langue dans sa « perfection classique ».

Du latin aux langues romanes

Plus généralement, une langue n'évolue plus si elle est sacralisée. C'est en quelque sorte ce qui est arrivé au français, puisque depuis celle de 1910, tous les projets de réforme de l'orthographe ont suscité des controverses sans fin et accouché de révisions très ponctuelles.

Inversement, l'illustration d'une évolution linguistique rapide est fournie par les transformations du latin après l'effondrement de l'Empire romain. À la suite de la chute de l'Empire romain d'Occident, le latin parlé dans ses provinces a pâti de l'effondrement de l'administration et de l'école. Il n'était déjà plus la langue maternelle d'innombrables Romains d'origine germanique. Venus s'installer dans les limites du *limes* (les frontières de l'Empire) et superficiellement romanisés, ces « apprentis Romains » restaient attachés au poids institutionnel du latin : il permettait notamment de faire carrière dans l'armée et l'administration impériales.

Une fois les structures impériales effondrées, les clercs (essentiellement les moines, comme l'historien Grégoire de Tours au VIe siècle) restaient seuls à conserver l'usage vivant d'un latin gardé relativement pur par la lecture des Pères de l'Église et de la littérature latine classique. Entre le Ve et le VIIIe siècle, le parler de chacune des anciennes provinces de l'empire d'Occident a évolué au point de ne plus permettre la compréhension mutuelle. Le linguiste suisse Walter von Wartburg a étudié ce processus, et l'a appelé *Fragmentation linguistique de la Romania*[1]. Cette fragmentation a alors produit les dialectes du provençal, de l'occitan, du catalan, du castillan, du portugais et du français septentrional. Celui-ci (la langue d'oïl) a été profondément altéré sur le plan phonologique sous l'influence du francique, la langue des populations des Francs issus de Franconie (actuellement la partie nord de la Bavière).

L'étude de l'évolution des langues et de leur généalogie a été la grande affaire de la linguistique du XIXe siècle. Elle a culminé dans les *Prinzipien der Sprachgeschichte*, vaste synthèse d'Hermann Paul publiée en 1880[2]. Mais cette question a cessé d'exciter les esprits après que Ferdinand de Saussure (lui-même brillant spécialiste de la phonologie de l'indo-européen primitif) eut stipulé dans son *Cours de linguistique générale posthume*[3] que l'étude des langues « en synchronie », c'est-à-dire celle de l'état d'une langue à une époque déterminée, passe méthodologiquement avant celle de leur « diachronie » (évolution dans le temps).

1- W. von Wartburg, *Fragmentation linguistique de la Romania* (1936), rééd. Klincksieck, 1967. De son côté, le latin parlé en Dacie est devenu le roumain, seule langue romane dans un espace linguistique slave, et s'est établi sans contact avec les autres branches de la Romania.

2- « Principes de la linguistique historique ». Malgré son influence décisive à l'époque, cet ouvrage attend toujours d'être traduit en français.

3- F. de Saussure, *Cours de linguistique générale*, 1916, rééd. Payot, 2002.

Ce principe a permis de faire prévaloir la logique du système linguistique sur celui de l'histoire. Avant Saussure, on se concentrait par exemple sur l'évolution d'un phonème, d'un affixe ou d'un mot. Cependant, le désintérêt flagrant pour l'étude de la « diachronie » – par exemple les changements qui ont affecté le français depuis ses états anciens jusqu'à ses états classique et moderne, en passant par le français de la Renaissance – a marginalisé de remarquables linguistes engagés dans ces recherches. Ce fut le cas pour Ferdinand Brunot, auteur d'une gigantesque *Histoire de la langue française*[4] commencée en 1900 et achevée par Charles Bruneau de 1948 à 1972.

Les études historiques ont somnolé dans les années 1950, malgré les contributions notables d'auteurs comme Stephen Ullman en Angleterre, Eugenio Coseriu en Amérique latine et Pierre Guiraud en France. Mais c'est seulement durant les dernières années du XXe siècle qu'elles se sont renouvelées avec le déclin du dogme structuraliste et l'émergence de la linguistique cognitive.

Une main invisible à l'œuvre dans la langue

Les chercheurs allemands ont joué à nouveau un rôle décisif dans ce réveil. Rudi Keller[5] a notamment appliqué à l'évolution des langues la théorie de la « main invisible » d'Adam Smith. Appliquée à la linguistique, cette thèse issue à l'origine de l'économie explique qu'aucune régularisation n'est parfaite : toute innovation résultant d'une pratique individuelle (qu'il s'agisse d'un changement de prononciation, d'organisation de l'énoncé, de sélection d'un mot au détriment d'un autre ou de l'attribution à un mot d'un sens nouveau) produit des « dégâts collatéraux ». Mais selon R. Keller, les tentatives d'innovation se neutralisent mutuellement jusqu'à ce qu'émerge la reconfiguration la plus adaptée.

4- F. Brunot et C. Bruneau, *Histoire de la langue française*, 1905-1972. Consultable sur http://archive.org/details/HistoireDeLaLangueFrancaise

5- R. Keller, *On Language Change. The invisible hand in language*, Routledge, 1994.

La théorie la mieux développée actuellement est celle de la grammaticalisation[6]. Au cours des siècles, les constituants du lexique et les constructions les plus fréquemment utilisés finissent par se figer dans leur forme et dans leur sens. Ils se transforment alors en constituants grammaticaux (généralement érodés phonétiquement). C'est ainsi que sont apparues deux proto-formes du futur et du conditionnel français. Elles se sont constituées à partir du verbe à l'infinitif suivi de l'auxiliaire *avoir*. Pour le futur, cela donne : « je partirai » formé de *je* + *partir* + ai donnant *je partirai*, et pour le conditionnel : *je* + *partir* + (*av*)*ais* », donnant *je partirais*.

La grammaticalisation peut se combiner à la lexicalisation, c'est-à-dire à la création d'un mot perçu comme simple à partir d'un matériau grammatical composite. Ainsi l'expression *aux alentours* s'est formée en plusieurs séquences : la préposition *en* s'est d'abord combinée avec le nom *tour* pour former *entour*. Ce nom s'est ensuite combiné avec la préposition *à* pour former un adverbe de lieu : *à l'entour* réorthographié *alentour*. L'histoire ne s'est pas arrêtée là, puisque cet adverbe lui-même a été transformé en un nom (*Je ne vois pas âme qui vive aux ALENTOURS*). Cet exemple d'évolution cyclique est un phénomène courant dans l'histoire des langues et on ne peut pas exclure l'apparition un jour prochain d'un verbe *alentourer* (*Les étangs de Ville d'Avray et les bois qui les* « *alentourent* »).

Jacques François

6- C. Marchello-Nizia, *Grammaticalisation et changement linguistique*, De Boeck, 2006.

L'évolution de la langue française

Une langue ne « naît » pas comme un homme ou une plante, elle est le résultat d'un acte social d'institutionnalisation. Pour qu'un « parler » acquière le statut de « langue », un double processus est nécessaire, impliquant l'individu, puis l'institution.

Pour le français, ce tournant se situe vers la fin du VIIIe siècle. C'est en effet en 813 qu'un concile des évêques de Gaule réuni à Tours décide que les sermons devront être prononcés en langue vulgaire. La seconde étape consiste en une reconnaissance du caractère de langue nationale ou régionale de ce « parler ». Ce changement-là ne concerne plus seulement les simples locuteurs, mais le corps politique lui-même. Pour le français, cette nouvelle étape se situe en 842, avec les *Serments de Strasbourg*, un texte officiel rédigé dans la nouvelle langue d'un nouveau royaume. Ce traité de paix est un bel exemple du plurilinguisme de l'époque ; il comprend quatre courts textes, dont deux sont rédigés en roman, et deux en germanique.

Moyen Âge : le français du manuscrit

Que parlait-on avant le IXe siècle sur le territoire de la France actuelle ? Notre pays se reconnaît aujourd'hui comme étant monolingue, mais à l'époque, il n'en était pas ainsi. Comme la majorité des pays du monde où plusieurs langues « officielles » coexistent – comme en Espagne, en Belgique, en Suisse, au Canada, aux États-Unis, etc. –, la France médiévale était plurilingue, et le monolinguisme affiché de nos jours, qui d'ailleurs ne va pas sans difficulté, est le résultat d'un processus historique.

On nomme « ancien français » l'ensemble des formes du français parlé et écrit entre le IXe siècle et la fin du XIIIe siècle au nord de la Loire. Il se différenciait selon les régions en une série de dialectes oraux ou de *scriptas* dialectalisées. La division la plus importante est celle qui sépare les dialectes linguistiquement conservateurs du Midi (langue d'oc) des dialectes plus innovants du Nord (langue d'oil).

Si dès l'origine se trouve de l'écrit, la plupart des habitants des provinces de langue française ne lisent ni n'écrivent (seule 1 % ou 2 % de la population est concernée par l'écrit).

En outre, dès la fin du XIIe siècle, avec Philippe Auguste puis saint Louis, la royauté s'étend vers l'ouest et le sud, régions du franco-provençal, du limousin, du provençal ou occitan. Ce français d'avant l'imprimerie nous est connu par les manuscrits.

Renaissance : le français de l'imprimerie

Une invention capitale favorise de façon spectaculaire la progression de l'écrit : l'imprimerie (1460-1470 en France). Elle contribue en même temps à fixer des normes graphiques et à implanter l'idée d'une unité de la langue. Cette période est marquée par deux faits importants : un édit célèbre de François Ier, l'Édit de Villers-Cotterêts, et la naissance de la grammaire.

La progression du français par rapport au latin s'était étendue, mais inégalement. En 1539, François Ier prit une ordonnance qui stipulait : « *Nous voulons doresnavant que tous arrestz ensemble toutes aultres procedures soient des cours souveraines ou aultres... soient de registres, enquetes, contratz... soient prononces, enregistrez et deliverez aux parties en langage maternel françois et non aultrement.* » À la même époque paraissaient les premières grammaires du français : celle de Palsgrave d'abord, élaborée à l'intention d'un public anglais (1520-1530), puis celles de Louis Meigret (qui déjà proposait une réforme de l'orthographe...), de Ramus, etc. Pour la première fois, on y formule des règles de fonctionnement de la langue française, ce qui s'accompagne nécessairement de choix et de l'instauration d'une norme. Ce mouvement de « grammatisation » atteindra son plein développement au siècle suivant.

XVIIe-XIXe siècles : « une » langue française ?

Au XVIIe siècle, pour la première fois, est formulée une norme explicite et stricte : Malherbe instaure le « purisme », Vaugelas publie ses remarques et Bouhours ses entretiens qui sont des formes élaborées du « dites..., ne dites pas... ».

L'Académie française, créée en 1635 par Richelieu, reçoit une mission claire : « La principale fonction de l'Académie sera de travailler avec tout le soin et toute la diligence possible à donner des règles certaines à notre langue, et à la rendre pure, éloquente et capable de traiter les arts et les sciences. » (Statuts de l'Académie française, art. 24). Un discours préalable d'un de ses membres précise ce que signifie « rendre pure » : « Nettoyer la langue des ordures qu'elle avait contractées, ou dans la bouche du peuple, ou dans la foule du Palais (la justice) et dans les impuretés de la chicane (les avocats), ou par les mauvais usages des courtisans ignorants, ou par l'abus de ceux qui la corrompent en l'écrivant, et de ceux qui disent bien dans les chaires (l'Église ou l'Université), mais autrement qu'il ne faut. » Le but n'est pas seulement « culturel » : « Il sembloit ne manquer plus rien à la félicité du Royaume que de tirer du nombre des langues barbares cette langue que nous parlons, et que tous nos voisins parleroient bientôt, si nos conquêtes continuoient comme elles avoient commencé... » On le voit, l'impérialisme linguistico-politique n'est pas une invention moderne.

Cependant, l'expansion du français se poursuit aux dépens du latin ainsi qu'aux dépens des dialectes et patois. Les institutions de la Révolution chargent l'abbé Grégoire d'une enquête sur l'état linguistique de la France, en 1790-93. Sa conclusion sera une recommandation allant dans le sens

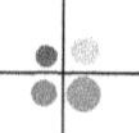

d'une éradication des patois qui, freinant la connaissance de la langue commune de la nation, tiennent les citoyens à l'écart de la vie politique. La scolarisation obligatoire instaurée un siècle plus tard (en 1882) accentuera encore ce mouvement, l'enseignement étant donné uniquement en français.

Que nomme-t-on le français ?

Dans les langues, Il existe trois modalités de variations : géographique (dialectes), sociologique et registral (registre familier, courant, cultivé...), et historique. Toutes les langues naturelles évoluent, on ne connaît pas de contre-exemple : la variété et le changement sont les conditions mêmes de leur fonctionnement. Mais les changements ne sont pas le pur fruit du hasard : il existe des régularités, que la linguistique historique, et spécialement la linguistique diachronique, ont pour tâche de mettre au jour, révélant du même coup des caractères fondamentaux de la faculté de langage.

Écrit ou oral, registres sociaux, langues spécialisées, français de tel ou tel pays, standard ou dialectal, de telle ou telle époque, emprunts ou évolutions de contact, etc. : ces diverses formes permettent de parler de « français » au singulier mais aussi au pluriel. Certains phénomènes, plus que d'autres, marquent ces diversités : la réduction de la négation « ne... pas » à « pas », (« j'ai pas faim ») caractérisent l'oral non soutenu ; le passé simple s'emploie dans le récit écrit (romans, rédactions d'élèves...) ; l'usage des mots en « o » (apéro, restau, métro, boulot, dodo...) marquent un oral non soutenu et l'écrit qui l'imite.

Toute langue est en effet une structure complexe et dynamique, en constante réorganisation : diversité d'une part, changement d'autre part sont les conditions mêmes de son fonctionnement.

Le français appartient, à l'intérieur de la grande famille des langues indo-européennes, à la sous-famille ou « branche » des « langues romanes ». Cette branche regroupe, parmi les langues indo-européennes, la dizaine de langues qui sont issues du latin : le portugais, l'espagnol, le catalan, l'occitan (ou provençal), le français, l'italien, le sarde (le sarde est un dialecte italien, mais si différent des autres que les linguistes lui reconnaissent un statut autonome), le rhéto-roman (ou romanche, parlé dans quelques cantons suisses), et le roumain. Situé sur un territoire depuis longtemps de langue celtique, il est pourtant issu du latin : il y a mille cinq cents ans environ, les dialectes gaulois disparaissent, le latin étant devenu la langue dominante. Mais l'existence d'un « substrat » celtique (gaulois continental) d'une part, l'influence d'un « superstrat »[1] » germanique d'autre part, sont sans doute à l'origine de traits distinctifs propres.

1- Le « substrat » désigne la langue d'une région qui a été remplacée par une autre langue. Le « superstrat » est une langue qui se répand sur le territoire d'une autre langue, sans remplacer cette dernière.

Comme tous les systèmes sociaux, les langues évoluent – mais pas de façon aléatoire. La linguistique étudie les régularités dans ces changements : c'est l'une des voies par lesquelles on explore la faculté de langage et les fonctions cognitives humaines. Les grandes étapes et les structures du développement du français ont été définies en fonction du degré de différence avec le français actuel.

Jusqu'au XVIIIe siècle, il est souvent difficile de lire un texte, de quelque niveau et registre qu'il s'agisse, sans buter à chaque phrase ou presque sur une difficulté. Depuis, en revanche, la compréhension semble presque absolue. Le français de Rousseau, de Diderot ou de la Déclaration des droits de l'homme et du citoyen est très proche du nôtre ; il n'est pas besoin d'un dictionnaire pour les lire. Dès lors, on est dans le français moderne[2].

Christiane Marchello-Nizia

2- Ce texte est extrait d'un article paru dans son intégralité dans le livre *Le Langage. Introduction aux sciences du langage,* éditions Sciences Humaines, 2010.

Le langage est vivant
Trois questions à Sylvain Auroux

Quelles sont les relations entre grammaire et langage ?

La grammaire est en situation de dépendance du langage, et non l'inverse. Quelle que soit la richesse de notre grammaire, elle ne pourra pas prédire tous les événements linguistiques, toutes les façons de parler des sujets.

Les règles de grammaire produisent un langage artificiel, que l'on peut ou non respecter. Mais cela n'empêche pas le langage d'évoluer. Et la grammaire ne peut expliquer à elle seule le langage, pourquoi et comment il évolue. Une grammaire n'est qu'un outil, un artefact qui nous permet d'une certaine façon de décrire une partie de notre activité linguistique et de la réguler.

Quand vous parlez de la grammaire, s'agit-il de la grammaire courante ou de la grammaire formelle des linguistes ?

Il n'y a pas de différence de nature, ni de discontinuité radicale entre les deux. La grammaire repose sur l'existence de régularités dans la langue. Elle consiste à découper le langage en unités puis à donner des lois pour assembler ces unités. Cette démarche peut être plus ou moins raffinée, plus ou moins normative : le principe est toujours le même.

Cette idée de la sous-détermination est-elle démontrable ?

Il n'y a pas de démonstration absolue, comme pour un théorème de mathématique, mais il y a des arguments très forts qui la soutiennent.

Premier argument : la non-prédictibilité des changements linguistiques. Il n'y a aucune loi qui permette de prédire l'avenir d'une langue. Ce qui signifie que, par rapport à la réalité du langage, nos discours scientifiques ne sont pas dans le même statut que les calculs d'un astronome par rapport à la trajectoire d'un astre. Au mieux, on peut les comparer à ceux des économistes.

Deuxième point : toutes les grammaires que nous avons faites ont été dépassées, à un moment donné, par la réalité du langage vivant. La grammaire du latin n'est pas adaptée aux langues romanes.

Enfin, il y a des phénomènes d'irréversibilité, auxquels on n'a pas accordé toute l'attention qu'ils méritaient. De quoi s'agit-il ? Traduisez un texte d'une langue 1 dans une langue 2, puis dans une langue 3 et 4. Enfin, vous retraduisez le texte obtenu dans la langue 1. Vous n'avez aucune chance de retomber sur le texte primitif. Pourquoi ? Parce que, quand vous passez d'une langue à une autre, vous prenez un ensemble de décisions, sur la forme, sur la signification des mots. Et ces décisions sont irréversibles. C'est un peu comme le principe de la thermodynamique, où il y a irréversibilité de certains phénomènes physiques. Cette idée d'irréversibilité est, je crois, essentielle. Car elle introduit la temporalité dans le langage. La thèse de la sous-détermination implique l'historicité et la facticité du langage. Le langage est soumis à l'histoire, au développement et à des phénomènes d'irréversibilité.

Propos recueillis par Jean-François Dortier[1]

1- Cet encadré est extrait de l'entretien accordé par Sylvain Auroux au magazine *Sciences Humaines* et publié intégralement dans l'ouvrage *Le Langage. Introduction aux sciences du langage,* éditions Sciences Humaines, 2010.

LA DISPARITION DES LANGUES

Il existe actuellement plus de 6 000 langues dans le monde. Plus de la moitié auront disparu d'ici la fin du siècle. Pour comprendre les causes de leur disparition, il faut d'abord s'accorder sur ce qu'est une langue. Une langue est l'instrument de communication majeur entre les hommes. Si les langues diffèrent, la compétence linguistique, proprement humaine, est universelle. Depuis Ferdinand de Saussure, fondateur de la linguistique moderne au début du XXe siècle, on considère la langue comme un système autonome, un ensemble de règles interdépendantes. À la fois institution collective et pratique individuelle (la parole), la langue est en équilibre entre stabilité (elle est reconnaissable par une communauté) et changement (elle ne cesse d'évoluer dans le temps).

Distinguer les différentes langues n'est pas toujours chose facile. Où commence et où finit une langue ? Dans le temps : comment passe-t-on du latin au français, par exemple ? Ou encore dans l'espace : comment distinguer les variations régionales ? S'agit-il d'une même langue, de dialectes (parlers régionaux), de patois (parlers ruraux) ? Certaines sont vernaculaires, assurant la communication à l'intérieur d'une même communauté linguistique, d'autres sont véhiculaires, utilisées pour les échanges entre différentes communautés.

Les critères permettant de définir une langue sont loin d'être uniformisés, et leur recensement reste dans bien des cas problématique : en 1929, l'Académie française dénombrait 2 796 langues, tandis qu'à l'heure actuelle, la majorité des linguistes estime à plus de 6 000 le nombre de langues, quand d'autres en reconnaissent à peine 4 500. Outre les langues nationales, seulement une centaine sur 6 000, il existe une multitude de parlers dont les contours sont parfois difficiles à cerner. Le nombre de locuteurs, critère quantitatif, ne permet pas de définir une langue. Certaines sont parlées par des millions d'individus, d'autres par quelques dizaines tout au plus. Un des critères permettant la délimitation des langues est le seuil de l'intercompréhension : si des locuteurs ne se comprennent plus, alors on peut supposer qu'il y a deux langues, et non une. Mais ce critère, qualitatif, comporte ses propres limites, car il existe différents degrés d'intercompréhension. Une langue, enfin, c'est une façon éminemment singulière de penser le monde, ce qui fait de chacune, si petite soit elle, un patrimoine irremplaçable.

Comment expliquer leur disparition ?

Le linguiste Louis-Jean Calvet relève trois grands modes de disparition des langues : la transformation, l'extinction et le remplacement. La transformation joue sur le long terme : la mutation progressive d'une langue en une autre, comme le latin qui a pu engendrer le français, l'espagnol ou l'italien par exemple. L'extinction est liée à la disparition physique d'un peuple et de sa langue. Elle peut être provoquée par un génocide, une épidémie, ou encore par l'absence de transmission. Le remplacement enfin, correspond à l'abandon d'une langue dominée au profit d'une langue dominante. Il est le plus souvent lié à des causes économiques et sociales comme le souligne Claude Hagège, professeur de linguistique au Collège de France. En Égypte, par exemple, les jeunes nubiens qui vont au Caire pour chercher du travail abandonnent la langue de leur communauté au profit de l'arabe. Punition divine dans la Babel biblique, le plurilinguisme est encore trop souvent considéré comme une menace à l'unité nationale. La France, comme bien d'autres, a longtemps sévèrement réprimé ses langues régionales, politiquement indésirables, ce que C. Hagège dénonce violemment comme un « linguicide d'État ».

À quoi reconnaît-on qu'une langue est menacée ? On peut déceler certains symptômes statistiques externes, comme un indice de « véhicularité » faible (la langue est alors en repli sur une communauté), le déclin du nombre de locuteurs, ou encore certains symptômes internes, comme l'indice de régression, qui évalue la dégradation de la langue elle-même (modification de la grammaire, perte de vocabulaire...), notamment dans le cas de l'absorption par une autre langue. Les linguistes et anthropologues anglais Daniel Nettle et Suzanne Romaine (*Ces langues, ces voix qui s'effacent*, Autrement, 2003) ont distingué la mort « de haut en bas », où la langue est rejetée des institutions officielles (tribunal, administration, école...) comme l'a été le breton en France ; et la mort « de bas en haut », qui suit le parcours inverse : bien qu'évacuée de l'usage courant, la langue est maintenue dans certaines pratiques institutionnelles, comme le latin en Europe, longtemps conservé par l'Église, ou le sanskrit en Inde.

Pourquoi une telle hécatombe ?

Si la mort des langues n'est pas un phénomène nouveau, on assiste aujourd'hui à une accélération vertigineuse du rythme de leur disparition : 25 langues en moyenne meurent chaque année, soit à peu près une tous les quinze jours ! Sur les 6 000 langues environ parlées actuellement, on estime qu'il n'en restera plus que 2 500 d'ici la fin du siècle. Contrairement à une idée reçue, ce n'est pas l'expansion de l'anglo-américain qui constitue aujourd'hui la principale menace. L'anglais, langue d'importation (exogène), peut s'acquérir en plus des langues natives (endogènes), sans pour autant leur nuire. Toutefois, son hégémonie pourrait être nocive à plus long terme. Dans l'immédiat, la plupart des langues en danger ne cèdent pas le pas à l'anglais, mais à d'autres langues plus puissantes sur un même territoire.

La vraie menace qui pèse sur les langues provient essentiellement des choix politiques, économiques et culturels effectués à l'échelle nationale et locale. La politique centralisatrice de certains États privilégiant l'uniformisation linguistique, le manque de reconnaissance des langues minoritaires, l'urbanisation croissante des sociétés, l'absence de transmission dans la famille ou à l'école, ou encore le développement des *mass media* sont autant de facteurs qui favorisent les langues dominantes, au détriment des plus petites. Tant que les populations n'avaient que peu de contacts avec les autres, les langues locales étaient relativement préservées. Mais le développement des échanges intergroupes les met à rude épreuve. Selon L.-J. Calvet, les langues sont le lieu « d'une tension permanente, entre le grégaire et le véhiculaire, la langue de la maison et celle du pain, les langues de pouvoir et celles de minorité. (...) Les conflits linguistiques nous parlent de conflits sociaux (...) et derrière la guerre des langues se profile une autre guerre, économique, culturelle ». Et la bataille fait rage. La moitié des langues de l'humanité est déjà moribonde, avec des communautés de moins de 10 000 personnes, surtout en Afrique et en Océanie. Plus d'une langue sur 10 a moins de 150 locuteurs ! La Nouvelle-Guinée concentre le plus grand nombre de langues menacées : ses 6 millions d'habitants (seulement 0,1 % de la population mondiale) se partagent plus de 1 000 langues, soit plus d'une langue sur six ! Si aucune mesure n'est prise, ce sont ainsi des milliers de langues qui sont vouées à disparaître prochainement.

Peut-on y remédier ?

Des linguistes américains ont proposé des plans d'action concertés, devenus des concepts clés : en 1970, Joshua Fishman insiste sur la nécessité d'une politique linguistique, ensemble de décisions dont l'application correspond à la planification linguistique, prônée en 1959 par Einar Haugen. Il ne s'agit pas de modifier la structure de la langue mais de favoriser son usage. Politique et planification linguistique doivent garantir le développement durable des langues, en mobilisant les acteurs à différents niveaux : individus, communautés, institutions, gouvernements, ou encore organisations internationales comme l'Unesco.

En 1992, à Strasbourg, la Charte européenne des langues régionales ou minoritaires était proclamée. Mais, de par son histoire, l'Europe a déjà perdu un très grand nombre de langues régionales. L'immense majorité des langues menacées se trouve aujourd'hui dans les pays pauvres, équatoriaux et subéquatoriaux. Les langues minoritaires sont alors sacrifiées sur l'autel du développement économique ou de l'unité nationale.

Toutefois, ce processus n'est ni inévitable ni irréversible : des politiques linguistiques correctement planifiées et mises en œuvre permettent de renforcer les efforts effectués actuellement par les communautés de locuteurs pour maintenir ou revitaliser leurs langues maternelles et les transmettre aux générations les plus jeunes. L'Unesco a lancé un vaste programme d'évaluation des langues en danger afin de soutenir les communautés, les experts et les gouvernements par la production, la coordination et la diffusion d'outils d'analyse et d'informations. L'élément phare de ce programme est la création de *l'Atlas interactif des langues en danger dans le monde*[1] réalisé par des linguistes et experts du monde entier.

Planifier l'évolution des langues ?

Les situations, sur le terrain, sont souvent complexes, et les solutions difficiles à mettre en place. Pour L.-J. Calvet, « l'idée même de planification linguistique constitue comme un défi à la linguistique », elle qui s'était fixé pour but de décrire les langues, non de modifier leur destin. Le linguiste est dans la situation du cinéaste animalier confronté à la mort du dernier représentant d'une espèce : doit-il agir ou témoigner ? Si agir est, pour beaucoup de linguistes, un devoir moral, les moyens font souvent défaut. Reste à témoigner dans l'urgence, poursuivre comme le dit C. Hagège « le combat que mènent les linguistes de terrain pour faire parler des témoins encore vivants ». Fixer la langue avant que la dernière parole ne se perde. Fossoyeur malgré lui, le linguiste distingue les langues mortes, qui ne sont plus parlées mais dont on conserve la trace, comme le latin ou le grec, et les langues disparues, dont la mémoire est définitivement perdue. Il est donc des langues plus mortes que d'autres. Très rarement, l'une d'elles ressuscite, comme l'hébreu, à partir des textes. Aussi, à défaut de pouvoir sauvegarder toutes les langues, la tâche du linguiste est du moins d'en préserver la mémoire.

Karine Philippe

1- C. Moseley (ed.), *Atlas of the World's Languages in Danger*, 3rd edn. Paris, Unesco Publishing, 2010.
Online version : http://www.unesco.org/culture/en/endangeredlanguages/atlas

Faut-il tout faire pour sauver les langues ?

L'histoire a fait que certaines langues ont essaimé plus que d'autres, rendant leurs poids différents, même si leurs qualités sont égales. Protéger la diversité linguistique exige-t-il de les conserver toutes ?

La diversité des langues, de malédiction biblique qu'elle était, est devenue un objet de louanges, dont la défense prend parfois l'allure d'un devoir moral. Cette notion, trop facilement assimilée à son homologue zoologique ou botanique, cache en fait une réalité bien plus complexe dont Louis-Jean et Alain Calvet, associés pour l'occasion[1], déplient les multiples volets.

D'abord, écrivent-ils, « le nombre de langues parlées dans un pays est une chose, le nombre de leurs locuteurs en est une autre ». Exemple : le Brésil, la Tanzanie et la République démocratique du Congo comptent chacun, aux dernières nouvelles, entre 120 et 200 langues. Mais leurs situations ne sont pas comparables : 95 % des Brésiliens ont le portugais pour langue maternelle, les 5 % restants se partageant les autres langues (allemand, italien et langues amérindiennes). En Tanzanie, la langue la plus pratiquée (le sukuma) ne l'est que par 10 à 15 % de la population… Entre les langues, il existe des différences de poids telles que leur diversité sur un territoire donné est une bien faible description de leur condition, et des problèmes que cela peut poser. Au Brésil, le problème est celui des langues amérindiennes, parfois réduites à quelques dizaines de locuteurs et donc très menacées ; en Papouasie, pays champion en densité de langues (environ 500), le problème est celui de l'État, qui a dû adopter l'anglais et un pidgin local pour pouvoir communiquer avec ses citoyens. Par ailleurs, les langues se moquent des frontières, circulent et doivent leur dynamisme à bien d'autres facteurs que le nombre de leurs locuteurs : leur reconnaissance officielle, leur usage comme langues secondes, leur patrimoine écrit et l'investissement identitaire dont elles font l'objet, comme cela est clair en Belgique, en Irlande ou dans les États issus de l'ex-Yougoslavie.

Le baromètre des langues du monde

Mesurer le poids des langues n'est donc pas une simple affaire d'addition, et voici plusieurs années que les frères Calvet ont élaboré et mis en ligne un savant outil informatique, le « Baromètre des langues du monde » dont ils donnent dans ce livre un bon aperçu.

Sans entrer dans ses rouages techniques, ce baromètre mobilise deux sortes de facteurs. Les premiers sont intrinsèques à la langue (le nombre de locuteurs, leur dispersion, le statut de la langue, son rayonnement), les seconds contextuels (degré de développement du pays, fécondité,

1- L.-J. et A. Calvet, *Les Confettis de Babel. Diversité linguistique et politique des langues*, OIF, 2013.

utilisateurs d'Internet). Le tableau qui en résulte est à la fois très inquiétant et plein d'enseignements. Pourquoi inquiétant ? Parce que sur les 7 000 langues reconnues dans le monde, plus de 5 000 obtiendraient un zéro ou presque à l'examen. *Exeunt* donc ces milliers de langues vernaculaires, pas ou peu écrites, et inconnues sur le Net : elles sont hors classement. Une autre petite réduction (arbitraire) ramène les classées à 563, dont les auteurs nous présentent le peloton de tête, là où se joue, si l'on veut, la « guerre mondiale des langues ». Sans surprise, les langues européennes (anglais, espagnol, français, allemand, russe, etc.) occupent les premières places au score global : ce sont les langues véhiculaires essaimées par les empires coloniaux et soutenues par la puissance économique de leurs pays d'origine. Mais elles sont suivies de près par le japonais, le mandarin, le turc. Plus intéressant, le score « démographique », dont les auteurs précisent qu'il annonce l'avenir, permet à l'espagnol de dépasser l'anglais, et au mandarin de faire la nique au français, talonné par l'hindi, le bengali, l'ourdou, le tamoul, le créole nigérian... La rumeur des aéroports dans le monde pourrait s'en trouver changée d'ici quelque temps.

Mais revenons à ce qui met souvent en émoi les amoureux des langues et interpelle les politiques : la mort annoncée de centaines de langues minoritaires, perçue et décrite comme une sorte de catastrophe écologique, contre laquelle des organismes internationaux comme l'Unesco et le Conseil de l'Europe ont émis des déclarations et conventions plus ou moins ratifiées et suivies d'effets. Des chiffres circulent : 10, 20, 25 langues meurent chaque année, 2 000 sont menacées de disparition prochaine, et ainsi de suite. Face à cet alarmisme et à l'activisme qui en résulte, les auteurs se montrent plus que sceptiques, et pour plusieurs raisons.

D'abord, il y a ce petit mystère : la menace est brandie depuis vingt ans, et le nombre de langues recensées a augmenté depuis. En fait, c'est souvent l'activité des linguistes qui est responsable de la naissance d'une langue jusque-là non identifiée. Plus on recense de langues de faible diffusion, plus le nombre des menacées augmente. Certaines mourront, les auteurs ne le nient pas.

Oui, mais voilà : « Faut-il, par principe, défendre toutes les langues ? », demandent-ils. Visiblement, ils ne le pensent pas, car les arguments pour la conservation à tout prix des langues en danger leur semblent soit contrefaits, soit irréalistes. Ce qui leur semble contrefait, c'est la vision biodiversitaire des langues : si les langues sont des organismes vivants, alors la sélection naturelle s'y applique comme ailleurs. Ce qui leur paraît irréaliste, c'est la proclamation d'un « droit des langues à exister ». Hormis les efforts démesurés qu'appelle un tel principe, il va contre leur conviction que les langues sont au service de leurs locuteurs, et non l'inverse. Une langue locale que ses héritiers ne souhaitent plus transmettre s'éteindra ou ne sera plus qu'une archive dans les fichiers des linguistes.

Pour le reste, L.-J. Calvet est un sociolinguiste, non un collectionneur de structures syntaxiques. Sa conception de la diversité en découle : il est clair que, pour lui, les langues servent à communiquer en même temps qu'elles sont des outils politiques. Défendre le plurilinguisme, ce qu'il ne manque pas de faire, ne consiste pas pour lui à voler au secours des langues minoritaires, mais plutôt à anticiper sur l'avenir d'un monde plus ouvert aux échanges.

Nicolas Journet

COMMENT L'ENFANT ACQUIERT-IL LE LANGAGE ?
Rencontre avec Michèle Kail

Quelles sont les grandes étapes d'acquisition du langage par l'enfant ?

Tout d'abord, l'acquisition du langage commence bien avant l'apparition des mots. Les recherches menées depuis une trentaine d'années sur les compétences du nourrisson ont montré que dès la naissance, voire dès les derniers mois de la grossesse, le bébé commence à percevoir les sons, la prosodie (c'est-à-dire la « musique » de la voix), et à en tirer des leçons. Car son écoute n'est pas passive, le nourrisson repère et discrimine. Puis il doit sélectionner dans le flux sonore les phonèmes pertinents de sa langue maternelle. Tous les bébés sont capables de reconnaître tous les phonèmes des langues du monde. Progressivement, ils perdent cette aptitude universelle à entendre et reproduire. Voilà pourquoi, passé un certain âge, on ne peut plus apprendre une langue étrangère sans accent. Selon l'heureuse formule de Patricia Kuhl, le bébé est un citoyen du monde qui devient ensuite un expert d'une langue particulière.

Parallèlement à l'écoute, l'enfant commence à s'exprimer. Le babillage apparaît vers 7 mois sous la forme de consonnes et de voyelles répétées (« ba, ba, ba »). Les premiers mots apparaissent au cours de la deuxième année. Ils prennent d'abord la forme d'un schéma harmonique de répétition de deux syllabes proches (« tato » pour gâteau). Du point de vue de la signification, ces premiers mots sont des « mots-phrases » : « tato » signifie le plus souvent « je veux du gâteau ».

Puis le lexique s'enrichit au fil des mois suivant. Ce développement n'est pas linéaire. Autour de 18 à 20 mois selon les enfants se produit une véritable « explosion lexicale » : l'enfant peut alors produire de 4 à 10 mots nouveaux par jour ! Cela dit, on observe de grandes différences d'un enfant à l'autre, et il ne faut pas toujours s'inquiéter d'un « retard » de langage. Un enfant peut avoir une compréhension étendue, mais une production limitée.

Et la grammaire ?

Dans le domaine de la grammaire, les tâches de l'enfant sont multiples. Car il doit apprendre à reconnaître à la fois les éléments grammaticaux (exprimer le pluriel, le futur, le passé) et leur organisation en repérant ce qui fait varier le sens.

La façon dont l'enfant acquiert la grammaire fait l'objet de débats. Pour Noam Chomsky, l'enfant n'apprend pas vraiment la grammaire, il ne fait qu'activer des règles innées et universelles qui ont des formes spécifiques dans une langue donnée. Cette théorie a eu longtemps une position prépondérante en psycholinguistique. Mais d'autres modèles lui font concurrence. Ainsi Dan Slobin, pionnier des études comparatives entre langues, a forgé une théorie des « principes opérationnels ». Selon lui, dans toutes les langues du monde, les enfants se conforment à des principes généraux tels que « faire attention à la fin des mots » ou « faire attention à l'ordre des mots ». Ce faisant, il parvient à filtrer les règles de compositions propres à chaque langue. Michael Tomasello propose une autre vision de l'acquisition de la grammaire. Pour lui, l'enfant ne procède pas par inférences de règles; il reproduit des modèles généraux d'organisation tels que « veux bonbon », « veux boire », « veux ballon », soit « veux + X », ou « encore bonbon », « encore manger », donc « encore + X ». Puis il assemblera le tout en formes complexes: « je veux encore des bonbons ».

Cela dit, si ces visions de l'acquisition grammaticale sont divergentes, les oppositions frontales tendent à s'estomper. Car les modèles se complexifient, s'enrichissent de nouvelles données qui les contraignent fortement.

Justement, qu'en est-il des grands modèles explicatifs sur l'acquisition ?

Le débat inné/acquis a longtemps dominé les études sur l'ac-

quisition du langage, mais aujourd'hui les joutes célèbres qui ont opposé Piaget et Chomsky sont moins à l'ordre du jour. Car les nouvelles approches de l'acquisition du langage ont fait se déplacer les débats.

Tout d'abord, les modèles de développement actuels tentent de prendre en compte à la fois les dynamiques internes et l'offre environnementale. L'enfant manifeste un intérêt spontané pour le langage et est actif dans l'apprentissage, cela n'est plus à démontrer. Les phases de maturation linguistique sont assez universelles ; pour tous les enfants, la productions de mots isolés est suivie de la période de la combinaison des mots, qui marque l'entrée dans la syntaxe autour de 20 mois. De même, vers 4 ans, les bases fondamentales du langage sont acquises. La dynamique de maturation suppose à la fois des dispositions du cerveau et l'apport des *inputs* langagiers extérieurs, comme le montrent les modèles cérébraux d'épigenèse[1].

De même, si l'existence de modules spécialisés du langage (dans le lexique, la grammaire, la phonologie) est bien attestée chez l'adulte, l'idée que ces modules soient innés, et donc préprogrammés, s'est assouplie avec les recherches sur la plasticité cérébrale. Les études récentes d'enfants ayant subi des lésions cérébrales périnatales avant 6 mois montrent que leurs capacités de récupération du langage sont presque totales vers 5 ans, et ce quel que soit l'hémisphère lésé, droit ou gauche.

Ce constat est remarquable : il suggère que la latéralisation du langage dans l'hémisphère gauche n'est ni innée ni irrévocable. La localisation du langage dans l'hémisphère gauche (aire de Broca) que l'on observe chez l'adulte n'est pas un processus intégralement préprogrammé, mais il se met en place rapidement au cours du développement.

Enfin, un autre axe de recherches actuel concerne les liens entre le langage et les autres capacités cognitives, comme la perception, l'attention ou la mémoire de travail. Le fait que certains troubles neurodéveloppementaux, comme l'autisme, entraînent des déficits ou des développements atypiques du langage (comme

1- Étude des influences des facteurs extérieurs aux gènes influant sur leur expression.

pour le syndrome de Williams[2] signifie que l'on ne peut pas isoler les compétences proprement linguistiques (lexique, phonologie, grammaire) des autres compétences cognitives.

Malgré toutes les recherches accumulées à ce jour sur l'acquisition du langage, il n'existe pas de théorie unifiée. Mais la pluralité des conceptions est favorable au renouvellement du domaine.

Propos recueillis par Jean-François Dortier

2- Maladie génétique rare, les enfants atteints de ce syndrome ressemblent à des lutins : petite taille due à un retard de croissance, front haut, nez en trompette, grande bouche. Ce sont des enfants très sociables, affectueux et joyeux, imaginatifs et très volubiles. Leur langage complexe contraste avec un retard mental, plus ou moins important.

LE BILINGUISME EST-IL UN ATOUT ?

La mobilité croissante des personnes, les mariages mixtes ainsi que la volonté politique d'introduire de plus en plus tôt une première langue vivante dans les écoles – et deux langues vivantes avant l'entrée en sixième selon la recommandation de la Commission européenne – font que beaucoup d'enfants sont aujourd'hui exposés très tôt à plusieurs langues.

En dépit de cette évolution sociétale, le bilinguisme continue à susciter autant de craintes que d'enthousiasme. « Mieux vaut bien apprendre le français avant d'entamer l'apprentissage d'une autre langue », « si l'enfant mélange ses deux langues, il vaut mieux qu'il n'en utilise qu'une »..., autant d'affirmations qui résistent encore aux nombreux démentis apportés par la recherche. Ces idées reçues concernant la prétendue nocivité du bilinguisme semblent avoir la vie particulièrement dure dans certains pays où le monolinguisme a longtemps été le modèle. On oublie que le monolingue est l'exception : selon l'Unesco, les deux tiers de la population mondiale parlent quotidiennement plus d'une langue.

La grande majorité des études psycholinguistiques montrent que l'apprentissage simultané de deux langues présente surtout des avantages pour les enfants. Les nourrissons sont prédisposés à acquérir, stocker et différencier deux ou trois langues. Le cerveau de l'enfant n'est pas surchargé par le bilinguisme mais stimulé par celui-ci. Ellen Bialystok, professeure de psychologie à l'université de York (Canada), considère le bilinguisme comme une forme de *fitness* pour le cerveau qui en tirerait des bénéfices comparables à ceux de l'exercice physique pour le corps. À condition que l'acquisition des deux langues se fasse de manière naturelle et continue. D'où le malentendu au sujet du double semi-linguisme : les difficultés des enfants migrants s'expliquent souvent par des raisons socio-économiques indépendantes du bilinguisme. En outre, les recherches ont montré que l'arrêt brutal du processus d'acquisition de la langue maternelle, renforcé par la rupture d'usage de cette langue par des parents croyant bien faire ainsi que par le rejet à l'école de la langue familiale, représente une forme d'amputation linguistique empêchant tout bilinguisme équilibré. Le fait de ne pas maintenir les deux langues freine le développement dans chacune d'elles[1].

Une langue ne s'installe pas au détriment de l'autre

On sait désormais que le bilinguisme enfantin n'est pas l'addition des deux langues dans le cerveau de l'enfant. Avant 7 ans, c'est le langage comme faculté que l'enfant découvre et construit comme il a découvert la marche. Découvrir le monde par une, deux, voire trois « fenêtres » n'affecte pas fondamentalement son développement linguistique. Un certain retard dans une des langues peut temporairement survenir, mais il sera vite rattrapé s'il y a continuité et maintien d'usage dans les deux langues. L'enfant prend alors en charge la tâche de séparer ces deux langues et de les utiliser en adéquation avec son environnement.

Cette facilité d'acquérir simultanément deux ou plusieurs langues s'explique par des circuits neuronaux encore ouverts, des synapses potentielles qui ne demandent qu'à être sollicitées et stimulées. Si ces circuits ne sont pas mobilisés, ils se sclérosent et se ferment. C'est pourquoi il n'est pas nécessaire que la première langue soit totalement établie pour entamer l'acquisition de la deuxième. Bien au contraire, plus une langue est introduite tôt, plus aisée sera son assimilation. La recherche a clairement montré que les deux langues ne se disputent pas le même espace dans le cerveau et qu'une langue ne s'installe pas au détriment de l'autre.

En effet, la structure du cerveau du jeune enfant est tellement flexible que celui-ci apprend aussi facilement deux ou trois langues qu'une seule. Mais au-delà de 7 ans, l'acquisition

1- M.-A. Akinci, « Du bilinguisme à la bilittéracie. Comparaison entre élèves bilingues turc-français et élèves monolingues français », *Langage et Société*, n° 116, 2006.

d'une nouvelle langue relève d'un autre processus, qui doit faire le détour par la langue maternelle. Comme l'écrit Gilbert Dalgalian[2], passé 7 ans, on n'apprend « plus du langage mais des langues ». Et même si la question d'un âge « critique » pour l'acquisition d'une langue seconde continue à être largement débattue, il a été démontré par imagerie cérébrale que l'équipement neuronal du bilingue précoce n'est pas le même que celui d'un enfant monolingue.

Les câblages neuronaux installés précocement ont des répercussions sur l'avenir de l'enfant et entraînent certains avantages cognitifs. Il semblerait que lorsqu'une personne bilingue utilise régulièrement ses deux langues, elle développe inconsciemment un réseau de contrôle visant à limiter les interférences venant de la langue qui n'est momentanément pas utilisée. Il s'avère que ce mécanisme inhibitoire améliore certaines fonctions cognitives d'ordre exécutif.

Des études récentes font ainsi état d'une meilleure capacité de filtrage des distractions, autrement dit de concentration, associée au bilinguisme. On relève de même une pensée créative et une mobilité conceptuelle plus prononcées du fait d'un mode de sollicitation différent de la mémoire de travail. L'exposition précoce à plusieurs langues facilite l'acquisition ultérieure d'autres langues, et ses retombées positives en mathématiques ont été maintes fois montrées[3] : celles-ci s'expliquent par une stimulation précoce de l'aire de Broca, qui opère la synthèse des chaînes symboliques non seulement linguistiques mais aussi mathématiques.

Quelques inconvénients

N'y a-t-il donc aucun inconvénient à être bilingue précoce? Les avantages l'emportent, mais des recherches en psychologie expérimentale ont aussi montré que les bilingues ont des temps de réaction plus longs dans certains tests lexicaux, et ne disposent pas de la même taille de vocabulaire qu'une personne

2- G. Dalgalian, *Enfances plurilingues. Témoignage pour une éducation bilingue et plurilingue*, L'Harmattan, 2000.

3- E. Bialystok, « Bilingualism. The good, the bad and the indifferent », *Bilingualism and Cognition*, vol. XII, n° 1, janvier 2009.

monolingue dans chacune des langues[4]. Il est vrai aussi que les enfants bilingues produisent parfois des énoncés mélangeant les deux langues. Ces alternances de code sont systématiques et prédictibles, et disparaissent généralement vers 4 ans. Par ailleurs, le bilinguisme parfaitement équilibré n'est qu'une chimère inspirée par le modèle monolingue. Un locuteur bilingue n'utilise jamais ses deux langues exactement avec la même fréquence, ni dans les mêmes circonstances, ni pour les mêmes besoins. Être bilingue consiste surtout à savoir piocher intelligemment dans la totalité de ses ressources linguistiques.

En somme, les bilingues ne sont pas des monolingues défaillants mais tout simplement des personnes dotées d'un profil linguistique différent, composé des deux langues. De par la nécessité de coordonner systématiquement ces deux langues en temps réel, l'enfant ou l'adulte bilingue fait face à des exigences pragmatiques et conversationnelles particulières impliquant une dimension de compétences supplémentaire : il sait donc faire quelque chose de plus que les monolingues. C'est une chance pour lui, qui vient s'ajouter à la richesse que constitue en soi l'accès à deux moyens d'expression permettant de naviguer allègrement d'une langue et d'une culture à une autre.

Maria Kihlstedt

4- *Ibid.*

Les tout-petits et le bilinguisme

Plusieurs études ont déjà montré l'impact positif du bilinguisme chez les enfants sur le plan cognitif. Publiée par le *Journal of Experimental Child Psychology*, cette nouvelle recherche s'intéresse cette fois aux tout-petits (D. Poulin-Dubois, A. Blaye, J. Coutya et E. Bialystok, « The effects of bilingualism on toddlers' executive functioning », *Journal of Experimental Child Psychology*, vol. CVIII, n° 3, mars 2011). Elle a été menée par des chercheuses des universités Concordia et York au Canada et de l'université de Provence.

Au total, 63 enfants âgés de 2 ans ont été divisés en deux groupes, l'un, unilingue et l'autre, bilingue (anglais-français). Pour évaluer le niveau de bilinguisme des enfants, les chercheuses ont interrogé les parents sur leur exposition à chaque langue et, au moyen de questionnaires, sur leurs connaissances en matière de vocabulaire. Les jeunes enfants ont, pour leur part, passé cinq tests linguistiques et cognitifs de base.

Première découverte : à 24 mois, les enfants bilingues disposent déjà d'un vocabulaire dans chacune des deux langues et d'une certaine expérience du passage d'un idiome à l'autre. Autre constat, les avantages du bilinguisme sur le plan cognitif se manifestent bien plus tôt que l'ont noté des travaux antérieurs. Comparativement aux enfants unilingues, les petits bilingues paraissent mieux s'acquitter de leurs tâches en présence d'éléments pouvant les distraire (par exemple, ils identifient mieux des images disposées de manière illogique). « Le léger avantage observé chez les enfants bilingues de 24 mois découle probablement de leur expérience de l'écoute et de l'utilisation de deux langues », analyse Diane Poulin-Dubois, professeure de psychologie et directrice adjointe du Centre de recherche en développement humain de l'université Concordia. Exposer de jeunes enfants à une deuxième langue tôt dans leur développement procurerait donc un avantage, en renforçant les compétences liées au contrôle de l'attention.

Diane Galbaud

L'ART DE CONVAINCRE

L'art de convaincre par le discours est une culture à la fois proche et lointaine. Elle nous est proche parce que familière : nous cherchons tous à convaincre. Mais elle nous est en même temps éloignée parce que l'art de convaincre, l'art rhétorique, ne s'enseigne plus ou presque.

Historiquement, la rhétorique correspond à un changement politique profond : celui de la naissance de la démocratie. En effet, si nous n'avons pas droit à la parole, qu'importe de ne pas savoir parler. Mais si notre opinion acquiert autant de valeur que celle d'un autre, alors l'art de convaincre devient aussi précieux que l'or. La rhétorique comme art de convaincre est avant tout utile au citoyen impliqué dans la vie civile. L'enseignement de cet art devrait être nécessaire et même vital en démocratie. Or c'est précisément au moment où la rhétorique est devenue utile qu'elle fut en même temps critiquée parce qu'assimilée à de la manipulation. Les sophistes grecs qui, quatre siècles avant Jésus-Christ, furent les premiers maîtres dans l'art de convaincre, les premiers initiateurs à la parole publique, ont été en même temps accusés d'être des imposteurs cyniques et manipulateurs. Alors même que la démocratie directe avait besoin d'exercer la prise de parole publique du citoyen, la technique qui devait l'enseigner fut trop rapidement condamnée. D'où ce rapport ambivalent avec cet art, à la fois proche et lointain, familier et inquiétant. N'est-ce pas la démocratie elle-même plutôt que la technique oratoire qui a pu effrayer à cette époque où la tradition a cessé d'être seul maître à bord ? La question mérite d'être posée aujourd'hui, en cette période où les institutions sont en mutation autant que les usages de la parole publique.

Ethos, pathos, logos

En quoi au juste consiste cet art de convaincre ? Il s'agit bien sûr d'échanger des arguments pour influencer les opinions. La parole est donc bien au centre de l'activité. Il faut savoir s'exprimer en public, trouver de bons exemples, contrer les attaques, choisir ou inventer des situations qui vont frapper l'auditoire. Il y a aussi les émotions, qui sont toujours mobilisées dans cet exercice, ainsi que la confiance que l'orateur doit inspirer.

Pour Aristote, premier grand théoricien de la rhétorique, les à-côtés du *logos* (l'argument logique proprement dit) font partie intégrante de l'art rhétorique. Il y a donc l'*ethos*, grâce à quoi l'orateur inspirera la confiance, et le *pathos*, qui devra placer l'auditoire dans de bonnes dispositions émotionnelles. L'*ethos*, le *pathos* et le *logos* sont trois preuves de même importance et forment le triptyque de l'art de convaincre. De plus, chacune de ces preuves doit être exercée pour elle-même, mais aussi envisagée dans sa relation avec les autres. C'est la maîtrise de cet ensemble qui fera de l'orateur un bon artisan de son art : un maître ès persuasion. Bien sûr il y a des conseils pratiques, des ficelles, même. Mais il y a aussi (et peut-être surtout) l'expérience du citoyen aguerri à la technique oratoire.

Imaginons maintenant Aristote en professeur de rhétorique dans un monde comme le nôtre. Quel conseil nous donnerait-il pour faire entendre notre voix dans une assemblée de citoyens réunis pour prendre une décision intéressant le bien commun ? Admettons qu'il s'agisse de lutter contre le passage d'un TGV dans la région, ou de militer pour l'accueil de sans-papiers dans la mairie, ou encore d'obtenir un jour de repas végétarien à l'école du quartier ? Aristote nous dira d'abord qu'il faut s'assurer que l'idée de bien commun est partagée par tous et qu'elle constitue un accord préalable. La discussion ne portera que sur les moyens. Ceux qui ne partagent pas cette visée ultime (ceux qui refusent d'œuvrer pour le bien commun), Aristote les aurait simplement exclus de la discussion. Notre professeur de rhétorique nous invitera ensuite à construire notre *ethos*, la reine des preuves. Et là, les choses sont très claires : ne jouez pas aux experts, vous êtes un citoyen et l'on appréciera votre expérience, mais aussi votre ouverture à la discussion. Ensuite, il faut placer notre auditoire dans le juste état d'esprit. C'est le *pathos*, et, en ces matières, l'indignation est toujours un bon levier pour l'action politique. Or on peut s'indigner dans toutes les directions. On peut appeler de ses vœux un TGV dans la région ou le redouter. Même chose pour les sans-papiers ou les repas végétariens. L'émotion est présente dans toutes les causes politiques, c'est sa source qui change.

Le modèle d'Aristote pensé pour la vie publique

Enfin, il reste le *logos*. Et là, Aristote nous conseillera sans doute de trouver dans l'histoire commune un exemple, une histoire vécue qui ressemble à la situation à débattre. Le *storytelling*, comme on l'appelle aujourd'hui, n'a rien inventé. Il a le mérite de nous rappeler que nous ne sommes pas seulement des êtres de déduction, mais que nous avons besoin de faire vivre nos arguments à l'aide d'histoires et d'images. Ce n'est pas de la manipulation, mais un simple respect de la nature humaine dont les mécanismes universels de la persuasion sont une conséquence.

Après des siècles de préjugés sur la parole publique comme sur la raison, le modèle de la rhétorique antique fait aujourd'hui figure d'avant-garde. La vision de la persuasion qu'il véhicule est à la fois plus large et plus réaliste que celle que l'on trouve dans l'héritage classique. Plus pratique et plus réaliste que celui de la seule logique, le modèle d'Aristote, inspiré de l'enseignement des sophistes, a aussi l'avantage d'avoir été pensé pour la vie publique, et non pas pour un monde idéal et abstrait.

Reste que l'art rhétorique est aujourd'hui peu enseigné. Soit on lui préfère un système de pensée réputé plus rationnel, soit on s'aventure dans diverses sortes de coaching, souvent à usages très locaux, pour ne pas dire opportunistes. A-t-on peur de l'art de convaincre ou de la liberté qu'il apporte ? Il existe pourtant des recherches qui s'intéressent aux effets produits par un apprentissage régulier de la rhétorique[1]. On y développe l'hypothèse que les citoyens acquièrent, par l'exercice oratoire, davantage de

1- Voir le site du Groupe de rhétorique de l'École de Bruxelles : http://gral.ulb.ac.be/democracy-lab

tolérance, d'empathie, mais aussi, de créativité et de souplesse d'esprit. Ainsi, en apprenant à produire des arguments, à persuader et à être persuadé en retour, chacun peut acquérir, comme une seconde nature, une meilleure disposition à vivre ensemble, dans un monde complexe où la diversité n'est pas un problème à résoudre mais une occasion à saisir.

Emmanuelle Danblon

La rhétorique : argumentation et discours

Le mot rhétorique est issu de *rhêtorikê*, (« art oratoire »), dont on retrouve la racine *rhêtôr*, dans « orateur ». La rhétorique a pris corps en Grèce au ve siècle av. J.-C. et s'est développée à Rome où elle était destinée à former des orateurs politiques et des magistrats.

Elle s'est scindée en deux orientations : l'argumentation, qui vise essentiellement à convaincre, et la stylistique, qui s'occupe plutôt des figures de style. L'argumentation vise à convaincre, le style vise à séduire. La rhétorique contemporaine a élargi le champ de la rhétorique à toutes les formes de discours qui, explicitement ou non, visent à influencer un auditoire.

La rhétorique antique : des sophistes à Aristote

Durant l'Antiquité grecque et romaine, la rhétorique joue un rôle essentiel, compte tenu de l'importance accordée au discours politique dans la cité. Les sophistes étaient des professeurs qui enseignaient aux jeunes gens l'art de la rhétorique. L'essentiel de leur technique mêlait à la fois l'argumentation d'apparence logique, l'art du dialogue et de la controverse ainsi que le discours emphatique.

Ces techniques oratoires furent condamnées par Platon, qui voyait dans la rhétorique un art de la manipulation (d'où la mauvaise réputation des « sophistes » considérés comme des bonimenteurs prêts à soutenir n'importe quelle thèse). Pour Platon, la seule vraie rhétorique valable est celle qui permet d'accéder au vrai, au bien, au beau : celle-ci relève donc de la raison, ou de la dialectique – art du dialogue qui permet de conduire pas à pas vers la clarté. À noter que Platon pensait tout de même que les discours adressés au peuple pouvaient être enrobés dans le mythe…

Aristote a rédigé le premier « système complet de la rhétorique », qui aura une influence déterminante sur toute l'histoire de la discipline. Son système rhétorique distingue les genres de discours : délibératif (qui vaut dans le domaine politique et qui a pour but de dire le bien), le judiciaire (qui prévaut au tribunal et à pour but de dire le « juste ») et le démonstratif ou épidictique (qui, à propos d'une personne ou d'une chose, détermine sa valeur). Il s'emploie aussi à décrire les procédés d'argumentation (dont le syllogisme), ainsi que les figures de style qui, en poétique, permettent d'embellir le discours et de le rendre plus convaincant.

Cicéron, le grand tribun romain, a marqué l'histoire de la rhétorique avec ses traités – *De Oratore, les Topiques* –, mais aussi avec les exemples donnés à travers ses grands discours et épîtres.

Le Romain Quintilien a laissé un traité, *Les Institutions oratoires*, qui a durablement influé sur la tradition occidentale de la rhétorique et son enseignement.

Logos, pathos, ethos

De la tradition rhétorique, forgée durant l'Antiquité par les Grecs et les Romains, on a retenu trois dimensions principales sur lesquelles s'appuie l'art de convaincre : le *logos*, le *pathos* et l'*ethos*.

• *Le logos*. Pour Aristote, le logos (d'où est issu le mot « logique ») représente le discours, la raison. Le premier élément de l'art de convaincre porte sur la force du raisonnement qui est censé susciter l'adhésion d'autrui.

• *Le pathos*. Pour Platon, la rhétorique est une tromperie, car l'auditoire n'écoute jamais que ce que ses passions lui dictent. Un bon orateur n'est finalement qu'un bon manipulateur. En grec, le terme que l'on utilise pour caractériser l'auditoire est le mot « pathos » : l'orateur joue sur les passions de l'auditoire pour lui faire croire et accepter des réponses qui, si l'on suit Platon, ne sont pas forcément justifiées. Depuis Platon, on a gardé l'équation pathos = auditoire, afin de capturer par un seul terme les diverses manières de réagir de l'interlocuteur. C'est bien ce que l'on appelle les passions, d'où ce mot pour résumer leur importance majeure quand il s'agit d'influencer un auditoire.

• *L'ethos*. Pour les penseurs romains, comme Cicéron ou Quintilien, ce n'est ni le *logos* (ou discours), ni l'interlocuteur (*pathos*), mais l'*ethos,* le caractère exemplaire, fiable et juste de l'orateur qui compte. L'orateur est identifié à l'*ethos*, car il est considéré du point de vue de sa crédibilité. Son autorité relève de l'aspect moral, c'est-à-dire exemplaire, dont il fait preuve.

Ces trois termes englobent les trois dimensions de la rhétorique : celui qui parle, celui auquel on s'adresse, et le médium qui les relie.

Les nouvelles rhétoriques

Les « nouvelles rhétoriques » sont apparues à la fin des années 1950, notamment avec Chaïm Perelman et son *Traité de l'argumentation. La nouvelle rhétorique* (1958) qui réhabilite la rhétorique aristotélicienne. Dans son sillage, les études sur le langage ordinaire et les sciences de la communication élargissent le champ de la rhétorique traditionnelle (confinée dans le discours politique, judiciaire ou littéraire) à d'autres formes de discours (la science, la publicité, les conversations ordinaires).

À l'université de Liège, le Groupe μ (μ se prononce « mu », en grec ; c'est la lettre M. comme « métaphore » et « métonymie ») étend le champ de la rhétorique à toutes les formes de discours) et à la diversité des procédés d'expression (langage implicite, image, mise en scène) qui visent à influencer autrui. Michel Meyer, qui occupe la chaire de rhétorique de cette université, inscrit la rhétorique dans le cadre général d'une « problématologie » (*Principia Rhetorica. Une théorie générale de l'argumentation*, 2009).

De son côté, Marc Fumaroli, professeur au Collège de France, s'est fait l'historien de la rhétorique classique avec *L'Âge de l'éloquence : rhétorique et "res literaria" de la Renaissance au seuil de l'époque classique*, 1994, et *Histoire de la rhétorique dans l'Europe moderne : 1450-1950*, 1999.

Jean-François Dortier

POURQUOI ET COMMENT NAISSENT LES MOTS NOUVEAUX ?

L'apparition de mots nouveaux, ou « néologismes », terme lui-même créé en 1735 pour dénoncer l'abus de ces inventions, s'observe dans toutes les langues vivantes, bien que les langues anciennes, dites « mortes », n'y échappent pas non plus. Ainsi, *puella exterioris paginae* est, en latin du Vatican, l'équivalent de *cover girl*.

L'évolution des techniques, l'apparition de nouveaux objets manufacturés sont souvent avancées comme les causes principales (et pour les puristes les seules acceptables) de la néologie. De fait, nous devons au développement de l'informatique des mots comme *cloud* et *infonuagique* (ou *nuage* tout court), *tweet*, *follower*, *brouteur* « maître chanteur menaçant de diffuser des images compromettantes obtenues par ruse », etc.

Mais bien d'autres raisons président à l'éclosion des mots nouveaux, à commencer par l'évolution des comportements et des mentalités. L'infamant *fille mère* a ainsi cédé la place depuis plusieurs décennies à *mère célibataire*, concurrencé maintenant par *foyer monoparental* qui gomme le sexe du parent élevant seul son enfant. Les *nouveaux pères* ont avantageusement remplacé les *papas poules*. Et le *pacs* s'offre en alternative au mariage. Ce nouveau sigle s'est vite intégré au lexique et a donné naissance au verbe *se pacser* et à un néologisme sémantique dans « se pacser avec EDF » pour recharger une batterie sur le secteur. Mais, à côté de ce type de dénomination, des néologismes jouent encore d'autres fonctions dans les énoncés où ils apparaissent.

Des créations publicitaires aux bons mots des politiques

Les slogans publicitaires incluent fréquemment des néologismes qui attirent l'attention par leur caractère, au sens propre, inouï : « Revittelisez-vous ! », « Autant d'idées ? J'halloweene!!! » Ils obtiennent aussi cet effet par l'invention d'impropriétés, comme dans « La prise de train bénéficie à la santé de votre voiture », nominalisation inattendue de *prendre le train*. Ils utilisent des mots marqués « jeunes » comme *comater* dans « Tu préfères galérer en scooter ou comater profond dans le TER ? » Ces slogans visent aussi à établir avec les récepteurs une connivence qui les dispose favorablement, et cela d'autant plus que la réussite du décryptage du néologisme flatte leur ego. Parfois, cependant, le publicitaire croit créer un néologisme mais le mot existe déjà : l'*anatopisme* défini, à la manière d'un article de dictionnaire, comme une « agréable sensation de dépaysement ressentie par un touriste en vacances », est un terme de psychiatrie dénommant les troubles psychiques des personnes déracinées ! Les affiches qui arboraient ce message ont vite disparu.

Les hommes politiques, plus encore que les commentateurs, recourent aux néologismes pour les mêmes raisons que les publicitaires. Souvent, ces mots nouveaux visent à ridiculiser l'adversaire ou à déconsidérer des idées auxquelles on s'oppose. Il faut mettre les rieurs de son côté. Certains sont plus habiles que d'autres. Jean-Marie Le Pen les multiplie pour stigmatiser, par exemple, la *ripoublique* et l'*établissement* (francisation de l'anglais *establishment*, « ensemble des personnes détenant le pouvoir »). Il surnommait Jacques Chirac *serial menteur* (croisant *supermenteur* des Guignols et *serial* de *serial killer*). Jean-Luc Mélenchon, après avoir qualifié le candidat François Hollande de *capitaine de pédalo*, s'en est pris à l'Europe *austéritaire*, comme Jean-Pierre Chevènement s'en prenait à l'Europe *maastricheuse* lors du référendum sur le traité de Maastricht. Des chroniqueurs créent des néologismes ironiques comme le *semanat* « mandat d'une semaine entre deux sondages » ou *serial gaffeur* du gouvernement (pour qualifier un ministre).

Dans la littérature… et dans la vie quotidienne

Selon les époques et les courants littéraires, les écrivains ont eu plus ou moins recours aux néologismes. On connaît ceux de Ronsard, au XVIe siècle, mais moins les critiques que lui ont adressées ses contemporains à ce sujet. Au XVIIIe siècle, Voltaire acceptait les néologismes en sciences, mais les condamnait dans la littérature (« fait-on de nouvelles découvertes dans le cœur humain ? »). Il en a cependant créé comme le fit aussi au siècle suivant Victor Hugo qui déclarait pourtant que « la néologie est un triste remède pour l'impuissance ». Les *Complaintes* (1885) de Jules Laforgue en regorgent (*sangsuelle*, *violupté*) comme, plus près de nous, les œuvres d'Hélène Cixous (*malgérienne*), Frédéric Dard (*mandolinier*), Valère Novarina (*languisme*), sans oublier ceux, nombreux, des slameurs (*arithmétrique*).

Si l'on reconnaît souvent aux écrivains le droit de créer des néologismes, ce droit est refusé au commun des mortels : l'institution scolaire française stigmatise la créativité lexicale des élèves et des étudiants, sauf dans certaines expériences pédagogiques, ludiques et/ou poétiques d'apprentissage du lexique. Mais les locuteurs s'affranchissent de plus en plus de ces interdits et recourent à la créativité lexicale pour jouer avec les mots, amuser, séduire, etc. Les enfants peuvent ainsi mettre « les clapins dans des lapiers », ou traiter de *sardin* leur père qui leur disait qu'ils étaient serrés comme des sardines. Mais ce n'est pas le propre de la jeunesse. Un homme peut appeler sa femme blottie près de la cheminée *pyrowoman* en croisant *pyromane* et *woman*, qu'il fait alterner, par erreur volontaire, avec l'anglais *man*. Qualifier de *pélicanesque* un père de famille présentant par plaisanterie sa situation comme pathétique crée une connivence entre les interlocuteurs qui partagent la référence au pélican de *La Nuit de mai* d'Alfred de Musset qui sacrifie sa vie et ses entrailles pour la vie de ses petits.

Une raison rarement prise en compte de la créativité lexicale est la nécessité d'accommoder un mot que l'on a en tête à la catégorie grammaticale nécessitée par la phrase en cours d'émission. Le verbe correspondant à l'adjectif *onctueux* est le néologisme *onctuosifier* sous la plume d'un critique gastronomique qui demande à ses lecteurs leur mansuétude pour cette création. Des étudiants ayant à commenter un texte où figure la phrase « elle examine la lettre » écrivent dans leur devoir « son *examination* de la lettre », etc.

Enfin, les néologismes peuvent avoir des fonctions cryptiques et identitaires. Le lexique des jeunes des banlieues ou des quartiers (toujours au pluriel dans cette acception dysphorique de banlieue ou quartier défavorisé, ce qui en fait des néologismes d'emploi) en est plein, comme *bolos* « bouffon, boulet ». Parfois, certains groupes sociaux appliquent une déformation systématique du code, comme dans le verlan, qui met à l'envers les constituants du mot (*oinj* pour *joint*). Une fois décryptés, ces nouveaux mots passent facilement dans le lexique courant, comme *meuf*, *keuf*, *beur*...

L'accélération des échanges internationaux multiplie les contacts entre langues et les emprunts ou créations d'équivalents. Certains pays, dont la France, ont développé des politiques linguistiques avec des institutions (les commissions de terminologie et de néologie) qui proposent et diffusent, *via* la Délégation générale à la langue française et aux langues de France (DGLFLF) des solutions alternatives aux emprunts. Si certaines propositions restent des échecs (*mirodrome* pour *peep show* ou *bouteur* pour *bulldozer*), d'autres réussissent et s'implantent comme la francisation graphique de *fioul* ou *gazole* ou encore les créations de *logiciel* pour *software* ou *baladeur* pour *walkman*. Ce dernier cas illustre la rapidité du nécessaire renouvellement du lexique puisque ces mots datés de 1985 et 1980 sont déjà quasiment obsolètes. Pour que les langues vivent, elles doivent suivre ces évolutions et innovations et produire les néologismes dont les locuteurs ont besoin.

Les procédés de création les plus fréquents

Pour cela, les locuteurs recourent à divers procédés (matrices) : affixation, par suffixation (*riquiquisation*) ou préfixation (*débanaliser*, s'opposant à *banaliser*), dérivation inverse (rare, comme *prester* des services à partir de *prestataire* ou *prestation*), composition (*nouveau père*, *promène-couillon*, *lanceur d'alerte*), dont il faut rapprocher la mot-valisation (*gangsterrorisme* amalgamant *gangster* et *terrorisme* sur la base d'une homophonie), la compocation[1] (*héliport*, associant deux mots tronqués : *hélicoptère* et

1- Compocation : mot composé avec des mots tronqués.

aéroport) et la fractocomposition (*hélitreuillage*, composé du mot *treuillage* et d'un fractolexème, *héli*, valant pour « hélicoptère »), mais aussi conversion (la *glisse* où le radical verbal est employé comme nom, son *ex*: une préposition devient un nom), nouveaux emplois sémantiques (une voiture *incontinente* « qui a des fuites d'huile », un candidat *formaté* pour un poste, comme si c'était une disquette) ou syntaxiques (*encourir la liberté*, mot qui n'appartient pas à la classe des peines prononcées par un tribunal), accourcissement par siglaison (*ENT*: *espace numérique de travail*) ou troncation (*proc*: procureur, *à plus* pour *à plus tard*), emprunt (*crowdfunding*, *slow food*). La métaphore, humoristique, est aussi à l'œuvre dans la création d'expressions nouvelles telles que *ne pas faire du huit mégabits* ou *ne pas être branché haut débit* pour railler la lenteur d'esprit de quelqu'un. À côté des création d'expressions, on observe aussi des détournements d'expressions figées comme *être les dindons de la crise* incompréhensible sans identification de *être le dindon de la farce* « être la victime dans une affaire ».

Si au cours du temps surgissent toujours des néologismes, on constate des variations de productivité des procédés: développement de la siglaison, apparition de la compocation… Des affixes autrefois productifs ne le sont plus (*-ure*), d'autres, qu'on disait moribonds, ressuscitent (*-esque*, *-issime*). Ainsi les études néologiques, toujours recommencées, comme la mer de Valéry, permettent d'étudier les évolutions de la société et de la langue qu'elle utilise.

Jean-François Sablayrolles

Et si les SMS enrichissaient la langue ?

Les critiques contre le langage SMS pleuvent depuis son invention. Il saboterait la langue, ferait chuter le niveau d'orthographe et abrutirait la jeunesse. Les linguistes belges Louise-Amélie Cougnon et Richard Beaufort (« Néologies et SMS », *Neologica*, n° 5, 2011.), qui ont étudié plus de 50 000 textos, font voler en éclat ces idées reçues.

Selon eux, loin d'appauvrir la langue, le SMS permettrait d'acquérir « une double compétence linguistique » : la connaissance des règles traditionnelles d'une part, la maîtrise du jeu sur le code d'autre part. Sommés d'écrire court, souvent d'un seul pouce et en marchant, les « textoteurs » se montrent d'autant plus imaginatifs que leur message est contraint.

Voici quelques caractéristiques linguistiques de l'écriture SMS : abréviations par apocope (poss pour possible), par aphérèse (blème pour problème) ou par syncope (tkt pour t'inquiète), allongements expressifs (bisouuuuus), acronymes (LOL pour *laughing out loud*, PTDR pour pété de rire), phonétisation (NRJ pour énergie), emprunts à l'anglais (loveuse, speecher), rébus typographique (koi29 pour quoi de neuf?), mots-valises comme « moisversaire » (jour de chaque mois durant lequel on fête un événement), néologismes familier comme « dodoter » (faire un petit dodo).

Parfois, c'est la technologie qui se charge d'apporter sa touche, poétique ou embarrassante, quand la saisie intuitive impose un autre mot que celui qui était prévu. Exemples rencontrés : « ma vélléité » pour « ma belle », « mon chétif » au lieu de « mon chéri », « pénis » au lieu de penne... qui peuvent entraîner de sérieux quiproquos.

L'écriture SMS requiert donc incontestablement de vraies compétences. Pour lire d'un trait, par exemple, et sans sourciller : « Cc ca va ? G tjs pa d cred c pr ca kjt écri pa. É dmin soir jpe pa pr l cinè jss ac mé pote dlecol sur gnev » (Coucou ça va ? J'ai toujours pas de crédit, c'est pour ça que je t'écris pas. Et demain je peux pas pour le ciné, je suis avec mes potes sur Genève.). Et y répondre...

Héloise Lhérété

Actes de langage

« Je te baptise », « Je le jure », ces paroles n'ont pas pour but de décrire le monde, de transmettre un message, mais constituent en elles-mêmes une action, un « acte ». D'où la notion d'acte de langage due à John L. Austin. Un acte de langage a une valeur illocutoire, c'est-à-dire qu'il établit un type de relation de dialogue (jurer, questionner, ordonner, etc.) ; il peut avoir des effets perlocutoires, c'est-à-dire des conséquences pratiques (convaincre, intimider, etc.). Il y a des actes indirects (constater « il est tard » pour demander de partir).

Analyse de conversation

Champ de recherche qui a pris son essor dans les années 1970 et qui renvoie à une multitude d'approches comme l'ethnographie de la conversation, l'ethnométhodologie, la socio-linguistique, etc.

L'analyse de conversation étudie les interactions verbales en situation réelle. Elle montre que le langage courant est loin de correspondre aux règles de la grammaire formelle, qu'il existe beaucoup de différences dans l'expression selon les milieux sociaux et les situations, que le sens des mots dépend beaucoup du contexte, des intonations et des expressions faciales qui les accompagnent, que la conversation comporte beaucoup d'implicite (et donc une culture commune entre interlocuteurs), que la conversation est fortement ritualisée par des tours de parole, etc.

Cognitif/cognitivisme

Au sens large, le terme « cognitif » désigne tout ce qui concerne les fonctions mentales. Dans un sens plus restreint, la perspective « cognitiviste » renvoie à une théorie psychologique qui considère les fonctions mentales comme des dispositifs de traitement de l'information. Aujourd'hui les linguistiques cognitives renouvellent le débat sur les rapports entre pensée et langage.

Compétence

La notion a été définie par Chomsky dans *Aspects de la théorie syntaxique* et elle est aujourd'hui largement répandue dans le vocabulaire des linguistes. Pour les théoriciens de la grammaire générative, une distinction fondamentale oppose la capacité de construire et reconnaître l'ensemble des énoncés grammaticalement corrects (compétence) et l'ensemble des énoncés produits (performance).

Computation, computationnisme

Computation provient de l'anglais computer qui signifie « ordinateur », mais aussi calculateur. Le computationnisme est un paradigme des sciences cognitives qui envisage la pensée sur le modèle de l'ordinateur et comme un programme informatique. Le cerveau est considéré comme une machine à traiter de l'information et la pensée est réductible à une suite d'opérations mathématiques et logiques simples, qui se succèdent selon un ordre déterminé. On parle aussi de modèle « computo-représentationnel » ou « computo-symbolique ».

Énonciation

« Tu vois ce que je veux dire ? », « J'aimerais que tu ailles… » Le discours porte diverses marques de la présence du locuteur et de la situation de parole (autoréférence) et permet d'établir des degrés variables d'adhésion ou de distance par rapport aux propos proférés. L'énonciation se distingue de la communication entendue comme une simple transmission de signaux codés. Le propre des linguistiques de l'énonciation est d'étudier la façon dont les gens parlent en situation réelle. La démarche est à l'opposé de celle des linguistes formalistes qui tirent leurs exemples des dictionnaires et dans une langue bien policée. L'analyse de conversation montre que le langage courant est loin de correspondre aux règles de la grammaire formelle. Il existe de nombreuses différences d'expression selon les milieux sociaux ; le sens des mots dépend beaucoup de son contexte d'énonciation, des intonations et des expressions faciales qui l'accompagnent. De même, elle montre que la conversation comporte une grande part d'implicite (et donc suppose une culture commune entre interlocuteurs) et qu'elle est fortement ritualisée (tours de parole, etc.). Très diversifiées aujourd'hui, les linguistiques de l'énonciation se nourrissent des travaux de sociolinguistique, ethnolinguistique et autres théories de la communication.

Grammaire

La grammaire analyse la construction des phrases. On distingue la syntaxe (étude des règles d'accords, de structuration de la phrase), et la morphologie, qui s'intéresse à la forme des mots (déclinaison, conjugaison).

Grammaire générative

Imaginé par le linguiste Noam Chonsky, le projet de grammaire générative part de l'idée qu'il existe un petit nombre de structures fondamentales qui seraient à la base de toutes les grammaires du monde ; ces structures se combinant entre elles pour « générer » tous les énoncés d'une langue.

Grammatisation

La grammatisation désigne le processus qui conduit à décrire et à outiller une langue sur la base des deux technologies qui sont encore aujourd'hui les piliers de

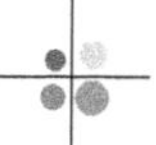

notre savoir métalinguistique : la grammaire et le dictionnaire. (S. Auroux, « Le processus de grammatisation et ses enjeux », in Histoire des idées linguistiques, 1992).

Implicite

Ensemble des phénomènes par lesquels l'énonciation exprime davantage ou autre chose que le sens immédiat de l'énoncé. Pour la pragmatique, outre les présupposés, l'implicite concerne ce qu'on laisse entendre (involontairement), ce qu'on donne à entendre (qu'on suggère à dessein), ce qu'on fait entendre (qu'on oblige à déduire par une violation apparente des principes de conversation). Les interactionnistes élargissent l'implicite à l'ensemble des signes qu'échangent inconsciemment les interlocuteurs.

Inférence

Opération logique qui permet de passer d'une proposition à une autre par déduction, induction, généralisation. On désigne aussi par là toute opération par laquelle on admet une proposition dont la vérité n'est pas connue directement, en vertu de sa liaison avec d'autres propositions déjà tenues pour vraies. Par extension, on nomme ainsi la proposition inférée.

Interactions verbales

L'étude des interactions verbales fait aujourd'hui partie des sciences du langage à plusieurs titres. Au niveau le plus global elle distingue des types d'interaction selon qu'ils sont : complémentaires (consultation, enquête, entretien, transaction) ou symétriques (discussion, débat, dispute) ; plus ou moins formels (débat public) ou informels (échange verbal sur l'oreiller) ; plus ou moins compétitifs (dispute) ou coopératifs (conversation).
En fait, toutes ces situations exigent un minimum de coopération et de conventions et peuvent être assimilées à des contrats de communication.
Les analyses peuvent faire appel à tous les outils de l'analyse du discours (pragmatique, énonciation, argumentation, actes de langage...). Elles peuvent porter spécifiquement sur les aspects interactifs de ces discours (tours de parole, reprises, reformulations) ou bien sur des procédés généraux de construction du sens (présupposition, implicitation, modalisation, modulation).

Langue/parole

Distinction fondatrice de la linguistique générale. La langue, système conventionnel abstrait partagé par tous les locuteurs, s'oppose à la parole, réalisation pratique d'un individu dans une situation. Cette opposition, qui a permis de représenter la langue comme un ensemble de signes cohérents, est abandonnée par la linguistique de l'énonciation.

Lexique

Ensemble des mots, des unités formant le vocabulaire d'une langue. La lexicologie étudie le vocabulaire et la formation des mots.

Locuteur

En linguistique de la communication, désigne celui qui parle (par rapport à celui qui écoute). Le terme est aussi employé pour désigner les personnes qui parlent une langue donnée: les locuteurs français, anglais etc.

Métaphore

Le terme « métaphore » provient du grec *metaphora*, qui signifie « transport ». Dans *La Poétique*, Aristote la définit ainsi: « La métaphore est le transport à une chose d'un nom qui en désigne une autre. » « Ce type est une vraie armoire à glace », « J'ai une faim de loup », « Il boit ses paroles », etc. La métaphore est une figure de style qui consiste à remplacer une chose par une autre qui lui ressemble.

La théorie cognitive de la métaphore énonce que la métaphore permet de mettre en lien des choses distinctes en soulignant leurs points de ressemblance. considérée longtemps comme une simple figure de style, la métaphore pourrait être un processus fondamental de la connaissance. Telle est la thèse défendue par certains linguistes, spécialistes de sciences cognitives et théoriciens de la littérature comme George Lakoff, Mark Johnson, Mark Turner.

Morphème

Plus petit segment de signe porteur de signification. Le mot « valise » constitue à lui seul un morphème, car il ne peut pas être décomposé en éléments plus simples ayant une signification. Mais dans le mot « nageuse », par exemple, « nage » et « euse » sont deux morphèmes qui permettent de distinguer « nageuse » des deux mots voisins « nageur » et « rageuse ».

Morphologie

Étude de la formation des mots et des variations de forme qu'ils subissent dans la phrase.

Néologie

Discipline qui étudie la création de nouveaux mots (néologismes).

Neurolinguistique

Étude de l'organisation du langage à partir des troubles occasionnés par des lésions corticales.

Performance

Dans le vocabulaire chomskyen, la performance désigne la réalisation concrète, les productions langagières ou actes de langage de chacun.

Phonème

Unité de base sur le plan sonore (consonnes, voyelles) qui, combinée à d'autres, forme une unité significative porteuse de sens. « Pin » est un phonème contenu dans « sapin », « pinson » et « pintade ».

Phonétique et phonologie

Ces deux branches de la linguistique s'occupent de la production des sons et de leur signification. On peut les différencier, mais elles sont difficilement séparables.

La phonétique se préoccupe des

sons de la parole (ex: les accents, les formes de prononciation des mots…). La phonologie s'intéresse aux sons particuliers que sont les phonèmes.

Pragmatique

Elle étudie le langage, et particulièrement la parole, en tant qu'il est un instrument d'action sur autrui. Cette discipline envisage les rapports des signes avec ceux qui les emploient en situation (elle se distingue de la syntaxe et de la sémantique). Alors que la sémantique étudie le sens indépendamment du contexte d'utilisation des mots et des phrases, la pragmatique étudie le sens qui est communiqué dans un contexte particulier, c'est-à-dire lorsqu'une phrase est prononcée par un locuteur spécifique à un moment donné (Zufferey, Moeschler, *Initiation à l'étude du sens*, éd. Sciecnes Humaines).

Psycholinguistique

Elle étudie les processus mis en œuvre dans la parole et le langage et s'intéresse aux différents liens entre le langage et les autres fonctions psychiques: mémoire, raisonnement, perception…

Récursivité

Désigne le fait d'insérer une proposition à l'intérieur d'une autre (« la personne qui a dénoncé le type qui a volé le sac de la dame qui… »). La récursivité permet de générer des phrases complexes à partir d'un noyau simple. Pour Chomsky, elle est le propre du langage humain.

Référence/Coréférence

En linguistique, on appelle « référence » la relation qui unit une expression au « quelque chose » qu'elle exprime et le « quelque chose » est appelé son référent (G. Kleiber). On parle de coréférence lorsque plusieurs expressions différentes contenues dans une phrase ou dans un document désignent le même objet.

Sémantique

Domaine de la linguistique qui étudie le sens, la signification des mots et plus généralement le contenu des signes et leur évolution.
Comme adjectif, s'applique à tout ce qui concerne l'attribution d'une signification à un signe ou à un énoncé.

Signifiant/Signifié

Ce sont les deux versants du signe. Le signifiant représente l'aspect extérieur du signe: le son produit, le graphisme du mot écrit. Le signifié renvoie à l'objet ou l'idée représentée.

Sociolinguistique

« C'est qu'est-ce que je dis », « Je n'en disconviens pas »… on ne parle pas de la même façon dans un quartier populaire et dans les couloirs des grandes écoles. L'expression linguistique varie selon les milieux sociaux. Tel est le but de la sociolinguistique: analyser les rapports entre le langage et la société, et s'intéresser aux formes d'expression, différentes selon les groupes sociaux.

S'il semble indéniable que les faits sociaux agissent sur le vocabulaire, il n'a pas été prouvé qu'il existe des corrélations directes entre un système phonologique, la morphologie ou la syntaxe et la structure d'une société ou d'une civilisation.

Structuralisme

Théorie appliquée à la langue puis étendue à l'ensemble des pratiques sociales. Elle consiste à organiser les faits en un système qui peut se décrire explicitement de façon cohérente, interne et autonome sans se référer à autre chose qu'à lui-même. Le système de la linguistique structurale définit la valeur des signes par les séries de leurs oppositions, dans un ensemble pleinement cohérent à un moment donné (synchronie). Par exemple, un texte doit pouvoir être décrit sans référence sociale ou historique autre que celle qu'il met lui-même en évidence et sans recours aux intentions supposées de son auteur.

Syntagme

Ferdinand de Saussure désigne par syntagme toute combinaison d'unités linguistiques (lettres, mots…) qui se suivent et sont liées entre elles. Par exemple, « le chien » est le syntagme nominal dans la phrase : « le chien aboie ». Ce syntagme, fait de deux éléments, se compose du déterminant « le » et du nom « chien ».

Syntaxe

Étude des règles par lesquelles les mots se combinent et s'agencent entre eux pour former une phrase cohérente. Plus généralement, elle se donne pour but de décrire les relations existantes entre les unités linguistiques et des fonctions qui leur sont attachées. Alors que la grammaire décrit les règles d'usage, la syntaxe recherche la logique sous-jacente.

Traitement automatique du langage naturel (TALN)

Le langage naturel, c'est le langage humain (par rapport aux langages informatiques). Les TALN désigne donc l'ensemble des techniques visant à décoder et faire reproduire par un ordinateur le langage humain : synthèse vocale, lecture et traduction automatiques, reconnaissance de l'écriture…

Universaux du langage

Désigne des éléments qui sont communs à toutes les langues. C'est sur le postulat de l'existence de ces universaux que repose la grammaire générative.

POUR ALLER PLUS LOIN

- S. Auroux, *Histoire des idées linguistiques*, 3 vol., Mardaga, 1990/92-2000.
- L.-J. et A. Calvet, *Les Confettis de Babel. Diversité linguistique et politique des langues*, OIF, 2013.
- P. Colé, *Lecture et pathologies du langage oral*, Presses universitaires de Grenoble, 2012.
- N. Evans, *Ces mots qui meurent. Les langues menacées et ce qu'elles ont à nous dire*, La Découverte, 2012.
- D. Hofstadter et E. Sander, *L'Analogie: cœur de la pensée*, Odile Jacob, 2013.
- J.-M. Hombert, G. Lenclud, *Comment le langage est venu à l'homme*, Fayard, 2014.
- M. Kail, *L'Acquisition du langage*, Puf, « Que sais-je ? », 2012.
- V. Nyckees, *La Sémantique*, Belin, 1998.
- A. Reboul, *Langage et cognition humaine*, Presses universitaires de Grenoble, 2007.
- J.-F. Sablayrolles, *Les Néologismes*, en collaboration avec J. Pruvost, Puf, « Que-sais-je ? » n° 3674, 2e éd. 2012.

Aux éditions Sciences Humaines

- J.-F. Dortier (dir.), *Le Langage. Introduction aux sciences du langage*, éd. Sciences Humaines, 2010.
- S. Zufferey et J. Moeschler, *Initiation à l'étude du sens. Sémantique et pragmatique*, éd. Sciences Humaines, 2012.

ONT CONTRIBUÉ À CET OUVRAGE

Sylvain Auroux
Directeur de recherche CNRS. Laboratoire d'Histoire des théories linguistiques, université Paris-Diderot.

Sarah Chiche
Journaliste et écrivain.

Emmanuelle Danblon
Professeur en Rhétorique et Argumentation à l'Université libre de Bruxelles-GRAL. Elle a publié, entre autres, *La Fonction persuasive. Anthropologie du discours rhétorique : origines et actualité*, Armand Colin, 2005, et *L'Homme rhétorique*, Cerf, 2013.

Stanislas Dehaene
Professeur au Collège de France (Chaire Psychologie cognitive expérimentale). Dernier ouvrage paru : *Le Code de la conscience*, Odile Jacob, 2014.

Jean-François Dortier
Fondateur et directeur du magazine *Sciences Humaines*, il a dirigé de nombreux ouvrages, dont le *Cerveau et la Pensée*, éd. Sciences Humaines, 2014.

Jacques François
Professeur émérite de linguistique à l'université de Caen, membre de la Société de linguistique de Paris.

Diane Galbaud
Journaliste.

Douglas Hofstadter
Professeur de sciences cognitives et d'informatique à l'université de Bloomington (Indiana), où il dirige le Centre de Recherche sur les Concepts et la Cognition.

Jean-Marie Hombert
Professeur de linguistique à l'université Lyon-II. Il dirige le laboratoire Dynamique du langage et le programme européen « The Origin of Man, Language and Languages ». Il a dirigé l'ouvrage *Aux origines des langues et du langage*, Fayard, 2005 et copublié, avec G. Lenclud, *Comment le langage est venu à l'homme*, Fayard, 2014.

Charlotte Jacquemot
Chercheur en psycholinguistique (CNRS) à l'École normale supérieure (Équipe Neuropsychologie Interventionnelle, Département d'Études Cognitives).

Nicolas Journet
Journaliste scientifique au magazine *Sciences Humaines*.

Michèle Kail
Directrice de recherche émérite au

CNRS (Laboratoire Structures formelles du langage, CNRS & Paris 8). Dernier ouvrage paru : *L'Acquisition du langage*, Puf, coll. « Que sais-je ? », 2012.

Maria Kihlstedt
Maître de conférences à l'université Paris-Ouest Nanterre/La défense (département des sciences du langage), auteure notamment de « Bilinguisme : tout se joue avant sept ans », *Liens*, n° 36, 2005 et de *La route vers le bilinguisme : étapes et contextes*, Thèse d'habilitation à diriger des recherches, Université de Paris Ouest, 2013.

Georges Kleiber
Professeur à l'Institut d'études Avancées de l'université de Strasbourg (chaire Sciences du langage). Dernier ouvrage paru : « Les noms à la croisée du massif et du comptable » G. Kleiber (éd) *Langue française*, n° 183, 2014.

Dominique Legallois
Maître de conférences à l'Université de Caen. Il est spécialiste de sémantique.

Héloise Lhérété
Rédactrice en chef du magazine *Sciences Humaines*.

Gérard Lenclud
Anthropologue, directeur de recherche honoraire au CNRS, membre du Laboratoire d'anthropologie sociale. Il a publié récemment *L'Universalisme ou le pari de la raison*, EHESS/Gallimard/Seuil, 2013.

Christiane Marcello-Nizia
Professeur émérite à l'ENS de Lyon, membre de l'UMR « ICAR » et de l'équipe ICAR-3. Parmi ses nombreux ouvrages, citons *Grammaticalisation et changement linguistique*, Bruxelles, Duculot, De Boeck, 2006.

Vincent Nyckees
Professeur à l'université Paris-Diderot, Sorbonne Paris-Cité, il est l'auteur de *La Sémantique*, Belin, 1998.

Karine Philippe
Journaliste.

Jean-François Sablayrolles
Professeur en sciences du langage à l'université Paris-13 Sorbonne Paris-Cité. Parmi ses ouvrages : *L'Innovation lexicale* (coord.), Champion, 2003 ; *Langages* n° 183, « néologie », coordonné avec S. Mejri, septembre 2011 ; *Les Néologismes*, en collaboration avec J. Pruvost, Que sais-je, Puf, « Que-sais-je » n° 3674, 2e éd. 2012.

Halima Sahraoui
Maître de conférences à l'université Toulouse-II, membre de l'Institut des sciences du cerveau de Toulouse.

Emmanuel Sander
Professeur de psychologie du développement et de l'éducation à l'Université Paris 8 et directeur de l'équipe CRAC (Compréhension, Raisonnement et Acquisition des Connaissances) du Laboratoire Paragraphe. Il a publié en 2013 avec Douglas Hofstadter un ouvrage écrit à quatre mains et dans deux langues paru simultanément chez Odile Jacob et chez Basic Books : *L'Analogie, cœur de la pensée* et *Surfaces and Essences : Analogy as the Fuel and Fire of Thinking.*

TABLE DES MATIÈRES

Cet ouvrage a été conçu à partir d'articles tirés du magazine *Sciences Humaines*, revus et actualisés pour la présente édition.
Les encadrés non signés sont de la rédaction.

Achevé d'imprimer en janvier 2015 par CPI Firmin Didot
Dépôt légal: premier trimestre 2015 (125699)